ZONZON
TÊTE CARRÉE

Du même auteur

Éditions caribéennes

Mémoires d'Isles, théâtre
L'Enfant des passages, ou la Geste de Ti Jean, théâtre
Contes de jour et de nuit

Éditions Nubia

Contes de mort et de vie aux Antilles

INA CÉSAIRE

ZONZON TÊTE CARRÉE

ÉDITIONS DU ROCHER
Jean-Paul Bertrand
Éditeur

Collection Danielle Pampuzac

ISBN 2 268 01801 6

À Suzanne et Aimé
mes parents

À mes « conteurs » qui se reconnaîtront :

Dr Émile M.
Bibi L.
Clara C.
Franck H.
Françoise T.
Marceau D.
Marie-Jeanne H.
Michel T.
Philibert L.
Philippe B.
Roland S.
Tilou R.

Aujourd'hui étant un lendemain de pluie d'hier, la rivière Blanche, petite sœur de la rivière l'Or et, comme elle, native des proches hauteurs du grand piton aux pentes abruptes, a brusquement décidé de faire, hors saison, son intéressante.

Elle qui d'ordinaire, glissante et rétractile, se borne paresseusement à faire clapoter ses maigres flots, se met sans crier gare à jouer les bonnes filles de notre riche nature et y va de toute son occasionnelle dissidence.

Elle gronde, mugit, bouillonne, oubliant que sa coulée itinérante n'a fait, plus souvent qu'à son tour, que croiser le chemin – entre sarigue et trigonocéphale vipérin – de quelque manicou errant ou d'un fer-de-lance endormi.

La route, devenue piste, se contorsionne en unc large boucle pour favoriser le passage à gué de l'énorme véhicule, sur trois vastes pierres polies, placées là, de toute éternité, par un hasard propice.

Le gué des Roches-Plates est, inhabituellement en

ce moment de pré-carême, recouvert par les eaux bruissantes du torrent lunatique.

La « bombe » de Zonzon, reconnue par tous ses contemporains en tant qu'automobile très spéciale, à la fois obstinée et folâtre, dotée, en outre, d'un orgueil de fer, rugit quelques secondes avant de s'arrêter net, au bord du passage tumultueux.

Les deux flancs vermillons du véhicule s'honorent, inscrit en lettres rutilantes, du nom de « Saint-Michel-Archange ». L'encadrement des fenêtres, ajourées de persiennes pour laisser bonne circulation à l'air frais venu des mornes, est coloré, ainsi que le toit de bois, d'un vert vibrant.

L'alliance des deux teintes contrastées produit, à l'évidence, l'effet ambigu souhaité par le décorateur : elle ravit l'œil par son audace et fait grincer des dents par son acidité.

Passé le temps d'arrêt, le courageux transporteur public se lance brusquement, violemment, dans la mouvance liquide, projetant de part et d'autre des gerbes d'écume limoneuse, tout klaxon déployé. Il faut passer, sinon c'est le détour obligé par le bourg de Sainte-Marie.

Sur six notes créoles, sans mot dire, l'avertisseur sonore intime aux vagabonds des alentours l'ordre musical d'avoir à s'écarter, afin de laisser au somptueux taxi-pays rouge et vert tout l'espace vital dû à son rang.

« Laisse-moi passer, vagabond ! » chantonne l'autobus. Et les hommes s'esclaffent, tandis que gloussent les femmes à l'abri de leur main, faussement effrayées par la vitesse et tentant plutôt, en vérité, de masquer je ne sais quel ravissement jugé trop aventureux pour leur sexe réputé craintif.

L'ouverture

Au tout début de la fête, la musique démarre, tel un moteur trop neuf, avec quelques ratés à la limite du grincement et son tempo demeure hésitant, comme à la recherche d'un rythme récurrent, celui des sonores baguettes de ti-bois martelant le bambou évidé ou du tambour-de-basque. Celui-ci représente la structure solide sur laquelle vient se greffer la fluide arabesque mélodique. C'est l'instant de la recherche des accords. La sonorité s'essouffle, patine à l'assaut du morne et de la phrase escarpés, hérissés de cassis semblables à des virgules trop rapprochées, au sein d'un texte qui espère trouver son équilibre. Pour notre danse de quadrille, les pieds se cambrent et la trajectoire du mouvement, comme celle de la respiration, se suspend une seconde, juste le temps du petit silence haletant qui va révéler l'éclosion de la reprise ; c'est le piqué de l'ouverture.

Zonzon Tête Carrée, capitaine du navire roulant et seul maître à bord après Dieu, le cou escamoté dans ses larges épaules, écrase l'accélérateur, solidement accroché à son volant au-dessus duquel trône, chromatique, le regard céleste et les mains jointes, saint Christophe, patron des conducteurs d'automobiles.

Ce second élu est le parrain naturel de la bombe roulante alors que l'archange dont l'image, terrassant un démon aussi noir que le chauffeur, orne la porte arrière – œuvre d'un artiste du Gros-Morne – n'en représente que le prête-nom.

Qui mène ici la charge ? Le père putatif ou le nominant ?

Le rétroviseur extérieur, planté comme une fourche caudine sur la façade de gauche, entre capot et portière, ne reflète guère que le combat bruyant entre l'eau et la glèbe, tandis que le miroir interne nous livre, grossi et souriant malgré l'effort, le faciès implacable de notre héros, celui qu'on nomme ici le maître-pièce, major incontesté du monopole entre

Gros-Morne et Fort-de-France : j'ai nommé Zonzon Tête Carrée.

Et le gros plan s'impose de lui-même tandis que la géographie terrestre se fait l'écho visuel de l'humaine nature : toutes les protubérances, toutes les élévations, les mornes, les soulèvements, les creux, les vallées, les fonds, les sillons et autres déclivités de l'île se retrouvent atténués dans le visage quadrilatéral de l'homme à l'automobile.

De chaque temporal exsude une ligne perpendiculaire qui s'interrompt brutalement au niveau des maigres bajoues dont l'angle droit dessine une ligne abrupte qui rejoint l'autre maxillaire, soulignant les hautes pommettes quasi asiatiques.

La peau ravinée est d'un noir mouvant et les cheveux crépus, taillés en brosse drue, dégagent des oreilles minuscules et tarabiscotées, soudées à la surprenante verticalité des tempes. Sobrement élégante – pantalon en « drill » grège et chemise à la zazou ouverte sur un cou puissant orné d'une mince chaîne en or – telle est la vêture de Zonzon dont les larges pieds sont chaussés d'alpargates en courtil bleu marine, aux solides semelles de type dit « Michelin », patronyme inspiré par une célèbre marque de pneus en caoutchouc fort appréciée des cordonniers locaux à l'époque du sinistre amiral Robert, homologue local de l'hexagonal maréchal Pétain.

Aucun nuage de mécontentement, même passager, ne vient estomper l'harmonie de ce visage débonnaire, aux larges lèvres ourlées, entrouvertes sur l'espace quelque peu exagéré qui, révélé par un sourire enjoué, sépare les deux incisives, permettant l'émission, sous forme de sifflement syncopé, de la dernière biguine du célèbre chansonnier Fayçal Vainduc.

Est-il vraiment nécessaire de rappeler que le rythme entraînant de la composition soutenu par la voix exquisement nasillarde du compositeur remportèrent tous les suffrages populaires au dernier concours de chansons carnavalesques et que la mélodie actuellement interprétée par le chauffeur obtint un premier prix incontesté parce qu'incontestable.

On peut regretter que sa traduction littérale en langue française ne soit à même d'en rendre l'ironie grinçante, au-delà de la façade d'apparente naïveté :

Man ni an loto nèf
An ti fanm ki an gou mwin
Man ni an loto nèf
Man ka fè palé di mwin...
Lè man té ni vié Fôd-la
Yo té ka konné mwin
Akièlman man ni an Vèdèt
Man ka kôné yo
Pinpon Pinpon
Gadé nou ki ka pasé
Man ni an loto nèf...

J'ai une auto neuve
Une femme selon mon goût
J'ai une auto neuve
Et les gens parlent de moi

Lorsque j'avais la vieille Ford
On me klaxonnait
Maintenant que je roule en Vedette
C'est moi qui klaxonne :
Pin-Pon, Pin-Pon...
Regardez-nous passer
L'auto neuve et moi...

Revenons à saint Christophe, au visage large comme la paume d'une main, qui élève vers les cieux des yeux hagards.

Sa peau est rose pâle et ses yeux s'éclairent d'une lueur bleutée, comme il sied à toute icône populaire.

La senestre du saint s'érige doctement, indiquant un Christ discret qui se tient, inexpressif, dans un coin du cadre, tandis que sa dextre, comme auréolée, se pose avec fermeté sur un volant d'or pur.

L'erreur de l'artiste spiritualiste fut sans doute de doter le disciple de ce regard extatique, visant bien au-delà du plus haut sommet des pitons du Carbet.

En dépit du chapelet azuréen qui relie, sur l'image, main divine et main sanctifiée, nul, s'il n'est de source purement angélique, ne peut manquer de se poser l'irrévérencieuse question : « Comment diable ce damné Christophe peut-il savoir où il va ? » Mais Zonzon, s'il s'est quelquefois interrogé, n'a jamais tenté de résoudre ce problème : pour lui, les affaires du sacré échappent aux mortels tout comme celles des mortels sont inaccessibles au sacré. Et c'est foutrement bien ainsi !

Voilà pourquoi, dédaignant à la fois le prétentieux

agnosticisme et le frileux mysticisme, l'autobus insolent se propulse, fonçant sans état d'âme dans la fraîcheur liquide du gué, les persiennes balayées de gliricidias roses et de « six-mois-rouges, six-mois-verts » en pleine rubescence févriaire, preuve que la forêt Bouliki toute proche a laissé s'égrener jusqu'ici la semence de ses grasses plantes vierges aux feuilles lustrées.

D'un seul balan, moteur vrombissant, déjà oublieux de la capricieuse rivière, la bombe roulante gravit le raide petit morne consécutif et s'arrête, encore haletante, au sommet de la côte, histoire de reprendre souffle et de faire arroser d'eau fraîche ses rouages internes.

Sur la frondaison hérissée qui surplombe la courte et abrupte falaise, des fleurs sauvages en forme d'entonnoirs, violettes et étales, trouent l'opacité des fougères arborescentes.

Un murmure, presque inaudible encore, s'en échappe.

Les innombrables animalcules qui grouillent, invisibles, dans la chaleur du clair-obscur humide, attendent patiemment le coucher du soleil pour s'en donner à cœur joie et à élytres déployés. Le murmure confus, au soir vacillant, se mutera en tintamarre. Qui pourra alors déceler le moment précis où le frottement devient grattement, où le grattement devient battement ou claquement et où le claquement devient crissement ?

– Quel carême, sacré bon sang, mais quel carême

d'avant-carême ! Ne pas s'opposer à l'inversion des saisons, c'est se conduire en esclave !

« Pourtant, tonnerre de Dieu, si en ce jour d'aujourd'hui, je déambule sur un chemin malaisé, rien ne me dit – et le devoir d'espoir inciterait même à le croire – qu'un jour proche mes pneus neufs n'effleureront pas une route goudronnée de frais...

« C'est ce que prophétisait feu mon grand-père qui ne possédait ni voiture ni tilbury mais qui savait s'y entendre, sacré tambour, pour déplacer un mulet rétif ! »

– Il ne faut pas jurer ainsi, mon compère ! En cette période sainte, Dieu est tout ouïe !

Zonzon sursaute, comme à chaque fois qu'il entend sans en être averti la voix flûtée de Charlène dont les soixante ans de vieille fille bigote ont conservé la juvénile et musicale sonorité des temps d'antan, ceux déjà lointains où il aimait la voir.

En petites clochettes fraîches, telles les pampilles fuchsia de muguet-pays qui recouvrirent – dit-on – la montagne Pelée juste avant l'éruption, les célèbres aphorismes de Charlène s'évaporent dans les airs sans plus de dommage apparent que la rosée aurorale, cette sueur de l'aube, si voisine de la pensée déliquescente de l'ancienne demoiselle.

Mais qui peut affirmer de façon haute et péremptoire que la naïveté est réellement dénuée de fiel, alors que nul n'ignore qu'il n'existe guère de bons sommeils, pas plus, d'ailleurs, que de bons réveils, sans petits sourires sucrés, craquants d'hypocrisie ?

– La bonne nuit pour vous, j'espère, Charlène !

– La bonne nuit, ma chère, pour vous pareillement !

– À demain, si Dieu veut, ma commère.

– S'il plaît à Dieu, voisine, en toute manière !

Sans aucun doute, Charlène a, depuis sa naissance, entonné plus d'un millier de fois l'*Ave Marie Stella*. Elle est aujourd'hui assise derrière le siège directorial de Zonzon qui fut jadis un temps son muet admirateur et dans l'oreille duquel elle vient de susurrer de sa voix de jeunesse, réveillant du même coup le souvenir de la biguine ancienne qui semblait avoir été composée spécialement pour elle :

A Titin' ou bèl
An maniman
La belle est jolie
An maniman
I ni an bèl avan
An maniman
I ni an bèl ariè
An maniman
Gadé Titin' mashé
An maniman
I ka mashé karé
An maniman...

Ah que Titine est belle
Qu'elle est agaçante !
Que la belle est jolie !
Admirez sa démarche !
Elle a un bel avant !
Elle a un bel arrière !

Regardez-la marcher
Admirez sa démarche...
Ah ! Que la belle est belle !
Elle appelle la caresse !...

Certaines personnes à l'imagination peu fertile auront, considérant son austère expression contemporaine, quelque difficulté à imaginer la vérité vraie, à savoir que Manzè Nini, Charlène de son nom de baptême (famille Mouton), est demeurée dans le souvenir des moins jeunes comme la plus fraîche, la plus brisquante chabine dorée – peau de miel, œil émeraude et chevelure solaire – de la campagne vallonnée sise entre Gros-Morne et Saint-Joseph.

À cette lointaine époque, Charlène Mouton était déjà – compte non tenu de la fraîcheur susdite – d'une confondante stupidité. Il semble clairement avéré qu'au cours des décennies suivantes, cette dernière ait connu une réelle évolution dans un sens strictement ascendant.

Une fois sa jeunesse enfuie, Charlène s'est installée dans son aspect définitif. Pétrifiée par la peur de l'enfer et bien que douée d'une santé de fer, elle est désormais agitée d'une unique obsession : être dans les meilleurs termes avec le Seigneur avant de trépasser.

Cette angoisse permanente occulte tant ses pensées déjà rares qu'il ne lui reste plus une seconde à consacrer à quoi que ce soit d'autre.

Mais aux temps dont nous parlions, Charlène, bien que strictement aussi démunie intellectuellement, était, il faut le redire, infiniment plus accorte, détail grâce auquel il lui fut alors beaucoup pardonné.

Il ne faudrait cependant pas croire que l'agaçante et insulaire beauté de la chabine adolescente soit parvenue à lui éviter déboires et désillusions.

Bien au contraire, son gracieux physique entraîna un bouleversement fatal dans la vie affective de l'obsolète jeune fille car elle fut sans le moindre doute à l'origine de la passion d'un triste sire dont le nom, Amour Lagardère, devait rester longtemps encore, pour les Mouton du quartier Bois Lézard, synonyme de déshonneur familial.

Qu'aurait pu aimer Amour, d'ailleurs, sinon l'apparence extérieure de Charlène, puisqu'elle ne possédait rien d'autre ?

C'est au débit de la régie de ce quartier rural et boisé qu'Amour rencontra pour la première fois Charlène, dite Nini. Il n'était que de passage dans ce lieu-dit, étant venu rendre service (enfin, dernier service, car celui-ci était mort la veille) à un oncle sien et si éloigné qu'il ne l'avait rencontré qu'une fois dans sa vie et ce à la veille de son quatorzième mois, environ vingt-quatre ans auparavant.

L'oncle inconnu d'Amour s'était plu, de son vivant, à se faire appeler « Deux Cordes » car, depuis sa prime jeunesse, il avait animé grâce à sa guitare un orchestre ignoré des bals sélects du bourg et de la capitale. Une véritable œuvre d'art que cette guitare née des mains mêmes de Deux Cordes : fer blanc, bois d'acajou, lianes tressées et vessies de porc étirées.

Tout comme sa guitare, les membres demeurés obscurs de son orchestre sans nom avaient vu le jour, sans se consulter, sur les bords instables de la rivière Lézard.

Grand chasseur de lézards dits mabouyas, grand écraseur de blattes, dites ravets, grand chapardeur de mangots dits bassignacs, devenu, à l'âge adulte, grand danseur de Bel-Air et grand bousculeur de jupons, tel fut Deux Cordes, oncle décédé d'Amour Lagardère.

Beau garçon au demeurant et qui, en dépit de ses jambes torses, avait plus d'une jolie femme à soupirer derrière lui. Ses rivaux enrageaient de ses succès, l'affublant du surnom infamant de « Parenthèses » et l'interrogeant sans relâche au sujet de son cheval absent, seule explication, selon eux, à une difformité dénuée de ses habituelles séquelles négatives.

Mais les belles du Gros-Morne firent fi de tous ces quolibets et ne nommèrent jamais Deux Cordes que par son authentique surnom qui, disait-on, lui seyait entre tous car son cœur musical ne battit longtemps qu'au rythme de l'amour et du tempo biguinal.

Aussi charmeur que son défunt oncle, séduit par l'œil vert et les blondeurs tropicales de Nini Mouton, Amour entama aussitôt un siège sans faille. Sa cour, bien que pressante, dut cependant rester discrète, compte tenu de la présence toute proche d'un adversaire de taille : l'œil tutélaire et acéré de Madame Mouton mère.

Cette dernière avait eu, vingt ans auparavant, toute jeunette et hors mariage, un malheur que le curé du bourg baptisa du gracieux prénom de Charlène.

Dès lors, l'accouchée involontaire, dûment chapitrée par le représentant de l'évêché, se cantonna à la stricte observance des Saintes Écritures et éleva l'enfant du péché avec le rigorisme qu'engendre la culpabilité.

Bercée par la triste complainte traditionnelle de la femme antillaise abandonnée :

Lè pitit an mwin
Ka mandé mwin tété
Man ka pôté li
Manjé matété
Pitit dodo papa-ou pa la
Sé manman-ou tou sèl ki dans la mizè
Pitit dodo
Papa-ou pa la
Sé manman-ou tou sèl
Ki dan lanbara...

Lorsque mon enfant demande à téter
Je lui donne de la bouillie de matété
Dors, mon enfant, ton père n'est pas là
C'est ta mère seulc qui est dans la misère...
Dors, mon enfant, ton père n'est pas là
C'est ta mère seule qui est dans l'embarras...

la petite chabine dorée connut une enfance terne et réglementée auprès d'une mère chimérique, repasseuse toujours vêtue de noir, porteuse renfrognée du double deuil de sa vertu et de ses illusions.

À partir du jour douloureux de la naissance, aucun personnage du genre masculin ne passa plus le seuil de la petite case aux meubles cirés.

Cet interdit implacable ne souffrit, pendant de nombreuses années, aucune dérogation : même le facteur de la commune, réputé pour son affabilité, dut se contenter d'ingurgiter le punch de la politesse tout debout, comme un intrus, sur la véranda toujours fraîchement récurée.

La frêle intelligence de l'enfant unique tenta vainement de s'épanouir puis, engluée dans une mangrove de tabous, vacilla avant de rendre l'âme :

– Une petite fille comme il faut ne salit pas sa robe blanche, ne court pas dans la savane avec des voyouses mal éduquées, ne met ni les coudes sur la table ni les doigts dans son nez. Une petite fille comme il faut ne fait pas pipi dans l'herbe, ne parle pas créole, ne suce pas de mangots, ne répond pas à sa mère et n'oublie pas sa prière et ceci et cela, et cela et ceci...

Le printemps

La rythmique a définitivement abandonné ses ruptures cahotiques mais elle est loin d'avoir atteint le souple glissé attendu. Les secousses originelles se sont transformées en coquettes hésitations, avancées hardies et retraites prudentes, à moins que ce ne soit exactement le contraire. Voici venu le temps où mains et mots se cherchent, où les cœurs entament le quadrille. Hésitation de la vie : un pas en avant, un pas en arrière, un regard qui se dérobe, un sourire qui chavire, une caresse suspendue, une phrase sussurée, un frôlement esquissé. Autant, chacun le sait, d'indéniables éléments de l'évanescente période du début des amours. Sur l'écran le cardiogramme dessine des lignes floues mais étonnamment parallèles. La mélodie, quant à elle, fleure bon le renouveau.

Amour n'était pas, nous l'avons dit, de la région. Natif de Fort-de-France, quartier de l'Ermitage, il avait poussé son premier cri d'indignation dans une case peu reluisante où, tout comme son père, l'argent était quasiment inconnu.

Son enfance fut semblable à celle de tous ceux qui naquirent, tantôt plutôt bien que mal, et tantôt plutôt mal que bien, au bord du canal, bercée par l'incessant clapotis de ses eaux boueuses, soumise aux horaires du rituel coutumier à tous les riverains désargentés : départ et retour des gommiers, plaisanteries lestes des pêcheurs, rires gras des jours de vente à la criée, voix perçantes des marchandes et des revendeuses prenant langue au sujet d'une charge ou d'un prix discutables.

Tout ça pour vous dire qu'Amour était un pur produit de la ville, de la vraie, de la grande ville houleuse et cosmopolite tandis que Charlène demeurait ce qu'elle avait toujours été en ses seize années de vie terne préalable : une jeune fille de la campagne de chez nous, bitaco (paysanne, dirait le francophone puriste), comme il ne serait plus permis, aujourd'hui, de l'être.

Tout le monde est bien sûr au courant des vilenies et de toutes sortes d'autres malfaisances que les citoyens de Fort-de-France ont déversé durant de nombreuses décennies sur les malheureux habitants du Gros-Morne.

Ce bourg sans histoire ne dispose, il est vrai, d'aucune situation privilégiée dans la géographie de l'île. Situé en son centre, il se trouve à la fois éloigné de la célèbre montagne Pelée et des deux mers chères aux vacanciers de tous poils.

Mais il faut bien un cœur à un pays, fût-il une île et, si on sait y voir, on ne peut que trouver du charme à ses courbes verdoyantes, à ses petits jardins quasi verticaux et à ses rivières limpides.

Si nous souhaitions donner au monde la preuve d'une évidence, à savoir que le Foyalais, en tant qu'habitant de la capitale ci-devant nommée « Fort-Royal », est un mal-parlant notoire, il nous suffirait d'insister sur le fait qu'il n'a toujours eu de cesse que de ridiculiser le Gros-Mornais, selon lui paysan et balourd, un « descendu », pour tout dire.

Confondre le calme et la sagacité d'un homme de nos campagnes avec l'inertie mentale d'un tèbè semble une confusion tout à fait digne du prétentieux habitant de la capitale, noyé dans son verbiage ricaneur.

Non content d'en avoir trahi l'esprit, l'homme de la ville est parvenu, grâce à ses commérages, à entacher l'histoire même de cette commune paisible, utilisant je ne sais quelle plaisanterie, plutôt scatologique, comme quoi, un certain jour de messe, une crotte de chien du plus vilain effet fut découverte sur le parvis de l'église.

Selon les racontars des méchants, ce serait l'entêtement béotien, demeuré célèbre, des habitants du cru, opposés sur le sujet du nettoyage des lieux, qui aurait entraîné une bizarrerie topographique que les rares touristes ne manquent pas de relever avec stupéfaction : de l'ancienne église, aujourd'hui abattue, il ne reste plus désormais que le parvis jadis maculé.

Plutôt que de céder sur les principes, les Gros-Mornais auraient préféré reconstruire le lieu de leur culte un peu, un tout petit peu plus loin.

N'ayant pas – selon l'avis goguenard des critiqueurs urbains – jugé bon de reconsidérer la reconstruction de l'objet du litige, l'église actuelle du Gros-Morne se passe, depuis ces temps reculés, de parvis et ce n'est pas plus mal car chacun sait que cet espace consacré ne joue plus son rôle apostolique.

La rage au cœur, force nous est de constater un fait brut : le parvis d'une église n'est plus, à l'heure actuelle, qu'une source de malpropretés et de cancans !

Jetons, si vous le voulez bien, un bref regard en direction du ronronnant taxi-pays qui, laissant loin derrière lui les vicissitudes du passage à gué, entame une longue et douce descente vers la vallée Heureuse.

Ronronne le moteur défervescent et vogue benoîtement le véhicule ignorant des hoquets et des grincements, comme sur une mer d'huile...

Le temps existe-t-il ? Ne serait-ce pas plutôt une invention maligne destinée pour les adultes à effrayer les petits enfants qui ont tiré les cheveux de leur sœur cadette ?

Si le temps prend son temps, c'est parce qu'il a le temps et ici plus qu'ailleurs où passé et présent se sont tant mélangés, par beau ou mauvais temps.

C'est ce que rappelle le vieux Bel-Air qui commence ainsi :

Sété an tan la Vièj té jèn fi
Sété an tan Diab té ti gason...

C'était au temps où la Vierge était jeune fille
Et où le Diable était petit garçon...

Tout au fond du véhicule bondé de Zonzon, on peut s'étonner de découvrir deux places libres, encadrant la maigre silhouette d'une femme hors d'âge, comme le rhum du même nom dont elle possède, à dire vrai, la couleur et le fumet.

Le vieux corps noueux de Finotte Marsol a, longtemps et par tout temps, beaucoup voyagé sur terre, sur mer et même – aux dires de certains – dans les airs nocturnes, seins étirés comme des ailes.

Les gens de par ici craignent tant Man Marsol qu'ils n'osent pas évoquer tout haut son appartenance à la confrérie des gens engagés au démon par le pacte du sang, de peur qu'elle ne leur lance un sort.

Les derniers arrivés sur cette terre, ignorants du récit tourmenté du début de sa vie, se contentent de répéter à l'infini l'histoire connue, au travers des mornes, sous la dénomination du « Retour de Man Marsol »...

Voici les faits, tels qu'ils sont contés par ceux qui ne les virent pas :

Lorsque Man Marsol revint à Bois-Lézard après plus de trente années d'absence vagabondeuse, même les plus vieux, ceux qui avaient assisté à son baptême, ne la reconnurent pas.

Plus courbée qu'une ancêtre, elle arriva dans le quartier à l'heure où le crissement des sauterelles leur a donné le nom de cabris-bois, marchant à petits pas le long du chemin de terre damassée.

Une sorte de robe, gaule déguenillée et décolorée, recouvrait ses jambes maigres. Des cheveux gris épars, entremêlés de brindilles sèches, oublieux depuis trop longtemps du feu du démêloir, encadraient son visage raviné.

Elle s'appuyait à une sorte de canne aussi torse que son corps osseux. Cet objet étrange était, pour l'effroi des enfants, surmonté d'une tête de serpent grossièrement sculptée.

Petit à petit, la foule, d'abord silencieuse, se rassembla autour de l'arrivante, respectant involontairement la distance circulaire des sept pas de l'inquiétude.

Quelques femmes se signèrent et un chien hurla à la mort.

Du débit de la régie sortit Man Ya, la matador que personne n'avait jamais vue trembler devant personne.

Sans qu'elle eût seulement à ouvrir la bouche, l'assistance s'écarta docilement sur son passage.

La bizarre apparition s'était immobilisée à quelques mètres de la petite boutique. Hommes, femmes, enfants, animaux, temps, tout avait suivi son exemple.

Man Ya, le poing sur la hanche, parla brusquement et sa voix sèche et autoritaire éclata dans le silence :

– Qui es-tu et d'où viens-tu ?

L'être qui avait dû être une femme se mit tout à coup à rire et ce rire, découvrant la béance d'une caverne sombre dépourvue de dents, hérissa le poil de toute l'assistance, tant il faisait songer aux jappements d'un chiot mal nourri.

Elle parla dans un souffle rauque :

– Tu as grandi, pour ça oui, Carméla, ma chère ! Lorsque je suis partie, tu portais encore camisole et tes seins étaient plats comme le dos de ma main !

– Vous êtes donc de par ici, Maman ? interrogea Man Ya, désarçonnée, radoucie – pourrait-on dire – par l'emploi d'un prénom si longtemps inusité.

Le rire caverneux retentit à nouveau dans l'air bleuissant de la fin du jour :

– Savoir si ce n'est pas le père de mon grand-père qui défricha le tout premier cette parcelle de forêt à scorpions et à mygales ! Vos parents à vous tous qui êtes là n'avaient pas encore, à cette époque, mêlé la double semence qui vous conçut !

Les mères firent rentrer les enfants qui tendaient le cou pour ne rien perdre des inconvenantes paroles de la vieille, à grand renfort de taloches et de pichenettes.

Chouval-bois, le major – celui-là non plus n'était pas célèbre pour sa couardise –, osa s'avancer d'un pas :

– Qui donc es-tu, Maman ? Sa voix était ferme.

– On m'appelle Man Marsol, depuis que je suis partie d'ici avec ce grand diable de chabin du Marigot que j'ai accepté comme légitime concubin, pour mon malheur de vie, au jour de mes quinze ans. Grâce à Dieu, il a payé ses forfaits et le démon l'a rappelé à lui ! À l'heure qu'il est, il doit griller dans les flammes de l'Enfer !

Ses yeux brillaient de joie maligne. Un seul frisson parcourut l'assistance. Siméon Nerval, le plus âgé de la paroisse, s'approcha en claudiquant de la nouvelle venue.

– Le dénommé Marsol du Marigot, rémouleur de son état, chabin rouge et grande gueule s'il en est, a enlevé à sa mère éplorée, la veuve Sirop, dite « Batri », sa fille unique, Finotte Sirop, il y a près de quarante ans !

« Si tu es Finotte, Man Marsol, tu devrais mignarder entre deux âges mais tu ne saurais avoir dépassé le mien !

– Aïe, Papa Siméon, ricana l'édentée, dire et voir sont des choses différentes ! C'est comme être et paraître ! Toi-même là, tu es droit comme un filao, malgré ta patte folle, bien que tu ne sois – si ma mémoire est bonne – pas si tellement loin de ton centième anniversaire.

« Les gens de ta génération, mon compère, sont tous couchés comme il se doit au cimetière de la commune. Siméon, sacré chien-fer, serais-tu protégé ou as-tu fait le vœu de nous enterrer, tous autant que nous sommes ?

Siméon, devenu gris sous l'allusion, recula, comme frappé au cœur, puis il tourna les talons et disparut à l'intérieur de sa case. On l'entendit jurer, lui qui n'avait jamais invoqué en vain le nom du Seigneur.

De nouveau, le silence se fit. Une sorte de froidure s'abattit brusquement. Quelques femmes remontèrent jusqu'aux épaules leur foulard de rein.

La voix coassante s'éleva derechef, en un vibrato sans cesse accru :

– Personne n'a plus rien à dire concernant le passé défunt ? Personne n'a plus de question malgracieuse à poser à la Revenante ? Eh bien tant mieux car, croyez-en Man Marsol qui a perdu son âge, les interrogations sont la plaie du monde et il vaut mieux ne point trop, en ce qui me concerne, laisser aller sa langue en babillements inutiles.

« Pour moi-même, je n'ai qu'une chose à vous dire : je suis revenue au pays, moi Finotte Sirop, femme concubine de feu Marsol Eugène que l'Enfer a rappelé à lui, et je m'installe à nouveau sur la terre de mes ancêtres.

« Vous apprendrez vite, vous tous, que Man Marsol n'est pas bouche inutile à nourrir. Elle sait où vivre et elle sait comment vivre. Elle sait même comment mourir. Parions que vous aurez plus besoin d'elle qu'elle n'aura besoin de vous... Mais la nuit tombe et les mauvaises rencontres sont toujours possibles après le coucher du soleil. Rentrez donc chez vous, habitants de Bois-Lézard et, avant de prendre sommeil, gardez-vous d'oublier vos saintes prières !

Ce fut le premier et le dernier discours prononcé par Man Marsol.

Quarante années de vie terrestre se sont écoulées depuis le remarqué retour de Man Marsol et personne depuis ne peut se vanter de l'avoir entendue s'exprimer autrement que par de courtes phrases, des sentences, des proverbes, des onomatopées, des grognements et des ricanements grinçants.

Le lendemain, le quartier, en s'éveillant au pipirit chantant, découvrit qu'elle s'était installée dans un cabanon abandonné, à deux pas du vieil arbre à pain mort que personne n'avait pris la peine, tant étaient longues ses racines, de déterrer.

À six heures du matin, une petite fille tremblante, la lèvre humide de lait et les cheveux fraîchement nattés, lui apporta, de la part de sa mère en chagrin d'époux et en mal d'enfant, un grand coui de soupe verte.

Le Saint-Michel-Archange dévale en conquérant la descente vertigineuse de la forêt Bambou. À cet instant ombragé de son parcours journalier, Zonzon se complaît tout particulièrement à mépriser l'usage du frein et à abuser de la pédale d'accélération.

Rien n'est plus grisant pour le maître-chauffeur que cette sensation de liberté engendrée par la vitesse. Rien n'est plus doux à l'oreille d'un homme dont les aïeux ont connu l'esclavage que ce mot de liberté.

Le père de Zonzon, feu Adhémar, qui l'avait précédé dans la lignée des Tête Carrée lui laissant en unique héritage le surnom qu'il tenait lui-même de son propre père, était l'un de ces obsédés de 1848.

Il avait élevé son garçon à la dure, ne ratant jamais une occasion de lui tanner le cuir à coups de ceinture, mais – Zonzon devait le reconnaître, aidé en cela par le proverbe traditionnel : « Hais le chien, mais reconnais que ses dents sont blanches ! » – il avait su lui inculquer la valeur sans borne de la notion de liberté.

Chez Adhémar, bien avant les décrets officiels, on fêtait dignement le jour anniversaire de l'abolition de l'esclavage.

Les enfants, ravis, avaient permission parentale de mater l'école.

On se nippait de neuf et on festoyait sur la véranda, afin que tout le quartier soit au courant de cette manifestation unique d'indépendance d'esprit. Socialisant, bouffeur de curés et de békés, Adhémar, revanchard comme pas deux, poussait même la rancune jusqu'à refuser de mâcher de la canne à sucre ou d'adoucir l'amertume de son café matinal, arguant du fait que nul n'ignore aux îles que c'est la sueur du nègre qui fit trop longtemps pousser cette graminée

Zonzon, ému, ne presse plus virilement l'accélérateur : il vient de se souvenir que telle était l'aura de son père, Adhémar Tête Carrée, qu'il a cru bien longtemps que liberté était un mot créole.

La bombe file sans accroc sur la route comme un gommier à voile carrée sous vent arrière. Elle fend l'air comme l'étrave fend la mer, fière et propulsée par l'alizé de la liberté.

La hardiesse de la comparaison liée au souvenir de la noblesse d'âme d'Adhémar, son père, lui rappelle une anecdote déjà ancienne.

Il se revoit, tout enfant encore, attendant le retour des pêcheurs à Grand-Rivière, sur la plage dite du bout du monde, où il passait chaque année les grandes vacances avec une kyrielle de frères et sœurs.

Sa tante Adeline avait jadis épousé un maître-senneur du lieu, Julius Guinée, homme de haute taille, si noir qu'il en était bleu, au visage impassible surmonté du bakoua large et pointu cher à tous ceux qui sont revenus sans dommage de la pêche en haute mer, celle-là même qu'on nomme ici la pêche à Miquelon.

À l'époque où Zonzon approchait de sa douzième année, Julius portait haut et fier ses cinquante ans de silex.

C'était un véritable major et ceux qui avaient déjà tenté de lui manquer de respect n'étaient plus là pour s'en vanter.

Sa réputation qui n'était plus à faire fut pourtant parachevée par un haut fait qui, un beau dimanche d'hivernage, fit définitivement du simple marin-pêcheur le symbole éminent du courage et de la dignité riveraine, évoquée par la célèbre complainte – enfin, célèbre de par chez nous – à la gloire de ces hommes à la fois humbles et fiers, plus experts en matière de courants maritimes qu'en orthographe :

Papa-mwin mété mwin à lékôl
I mété ti frè-mwin épi mwin
Ti frè-mwin, i aprann pasé mwin
Papa-mwin ba mwin an ti kanno...

Mon père m'a mis à l'école
Il y mit aussi mon petit frère
Mon petit frère apprit mieux que moi
Alors, mon père m'offrit un petit canot...

Si les maîtres-senneurs de Grand-Rivière ont un si doux rapport avec les femmes autres que leur maman, contrairement à la plupart des membres de la gent masculine locale, c'est que, à l'évidence, la mer et la féminité sont de même essence, tout à la fois tendres et houleuses, douces et violentes, maternelles et traîtresses.

Ce jour-là, la conque de lambi de Julius annonça dans les recoins les plus isolés du bourg que le canot du senneur, le « Seul-Maître-Après-Dieu », rentrait à la fraîche nanti d'une pêche quasi miraculeuse.

Et qu'on ne vienne pas parler ici de coulirous, de balarous, de volants ou autres babioles à nageoires. Le grand gommier regorgeait de carangues dodues, de sardes argentées, de requins en bas âge, en attente de la cuisson à l'étouffée, de thazards à débiter en darnes, de capitaines aux fines écailles rouges et de grasses langoustes aux antennes oscillantes.

Cette pêche-là n'était rien d'autre qu'un véritable pactole !

Tante Adeline avait été la première à apercevoir le canot, passant la lame presque à rebours, tant il était chargé.

Adie avait toujours la crainte chevillée au cœur lorsque son mari était en mer, depuis la disparition de son propre père, entraîné sous ses yeux par une lame de fond, au large de l'îlet au Diable.

Dieu seul sait quel mauvais esprit avait poussé cet homme intact de rhum à partir en mer sous ce grain diluvien, annonceur de cyclones ou de chambardement maritime.

Lorsque la vague frappait le canot de plein fouet, Adie se surprenait à chantonner, cramponnée aux terreurs de son enfance :

Soup-la adan kannari
Han
Kannari asou difé
Han
I ka brilé
Han...

Le canari plein de soupe
Est sur le feu
Et il brûle...

Après la disparition tragique de son mari, la mère d'Adeline avait juré sur la Bible qu'elle ne poserait plus jamais son regard sur la mer.

Elle tint parole, émigra aux fins fonds de la campagne du Gros-Morne, se remaria à un paysan qui n'avait jamais été plus loin que le bourg et fit promettre à ses filles de ne jamais épouser un pêcheur.

Par un phénomène d'analogie primaire et au mépris de toute vraisemblance scientifique, l'imaginaire collectif attribue à l'homme de la mer les caractéristiques de l'élément qui le fait vivre : comme elle, le pêcheur serait un faux calme, masquant sous une apparence flegmatique une fâcheuse tendance aux colères sporadiques, ainsi que le rappelle la chanson populaire dont le refrain lancinant résonne à la fois comme une supplique et comme une menace :

Ba klé-a, Titin', tandé
Ba mwin klé-a, Titin', O
Ba mwin klé-a, Titin', tandé, nou mélé
Misié-a...
Tout-moun ka di Jojo méshan
Tout-moun ka di Jojo bouro
Jojo, sé an marin-péshè
I lévé bô katrèd' matin
Pa sa lidé ki pran Jojo
I ritouné la kaz a li
Trouvé an nonm épi fanm-a-i
Tshoué nonm-lan, tshoué fanm-la
An fanm ansint té ka pasé
Sé lémosion ki tshoué fanm-la
Sa fè kat mô, Misié-a...

Donne-moi la clef, Titine, tu entends !
Donne-moi cette clef !
Tout le monde dit que Jojo est méchant
Tout le monde dit que c'est un bourreau
Jojo est un marin-pêcheur
Il se lève à quatre heures du matin
Un jour, je ne sais quelle idée le poussa

À rentrer chez lui plus tôt qu'à l'habitude.
Il y trouva un homme
Il tua l'homme et il tua sa femme
Une femme enceinte passait par là
Son émotion, devant ce spectacle, fut telle
Qu'elle en mourut
Ce qui fit quatre morts...

Mais la femme propose et Dieu dispose : au bal-bouquet de ses dix-huit ans, Tante Adie fit la rencontre de Julius dont les dents blanches étincelaient dans un visage d'ébène pure.

Sa haute taille et sa prestance firent le reste et, lorsque à la fin du bal, le beau jeune homme révéla à la fois son métier et son bourg d'origine le mal était déjà fait : le cœur d'Adie avait chaviré aussi sûrement que le gommier de feu son père et son sort sentimental était définitivement fixé.

Le canot happé par des mains avides fut vite posé sur le sable et une foule de Riverains admiratifs et frénétiques l'entoura immédiatement.

Tout à coup, des murmures remplacèrent les vivats et la foule se fendit en deux, comme transpercée par un poignard, avant de s'égailler silencieusement, offrant ainsi une large coulée carrossable à une jeep kaki pilotée par le fils du vieux béké de l'habitation voisine.

Son véhicule fonçait droit devant lui, hurlant tel un cochon qui, sous sa lourde graisse, sent approcher la fatidique date de Noël.

Le béké avait environ trente-cinq ans. Il venait

tout juste de convoler en justes noces à l'église du bourg avec une frêle et rose créature de dix-neuf printemps.

Il avait la réputation d'un homme sanguin, prompt à la riposte et coq-game en ce qui concernait les femmes, auxquelles il ne déplaisait pas toujours car il avait l'argent facile.

Julius Guinée vit arriver la jeep du béké de la même façon que son père avait vu, des années auparavant, arriver le tilbury du maître.

Il se redressa de toute sa taille et ses yeux devinrent deux fentes obliques, tandis que ce qui lui restait de regard s'éloignait vers la mer.

Lorsque l'homme à la peau rougie par la vitesse sauta hors de son auto comme il l'eût fait d'un cheval, le maître-senneur ne fit pas un mouvement, il ne cilla même pas.

Le béké botté de cuir s'approcha du gommier débordant de poissons :

– Salut, Julius, dit-il d'un ton affable, nous fêtons demain les 90 ans de ma grand-mère et nous attendons une bonne cinquantaine d'invités. Tu serais bien gentil de me faire livrer tout ça à l'habitation. Tu seras réglé par la cuisinière. Alors, à ce soir, sans faute !

Le groupe compact des femmes qui n'attendaient que le signal du senneur pour faire leur choix proféra un unanime gémissement de dépit, tandis que le jeune homme regagnait d'un pas assuré sa jeep immatriculée à Fort-de-France. Dédaignant la portière, il s'installa d'un bond dans l'habitacle. Sa main n'atteignit pas le levier de vitesse.

Julius, fendant la foule à son tour, s'était planté devant la voiture, dressant sa haute stature rehaussée de son bakoua de pêcheur.

Le béké souleva un sourcil interrogateur et les habitants retinrent leur souffle.

Julius parla alors et ses paroles, prononcées avec lenteur, devaient demeurer inscrites dans les annales personnelles de tous les assistants :

– Nous n'avons pas, dit-il au béké, gardé le moindre cochon ensemble et je n'ai pas souvenance de vous avoir jamais permis de me tutoyer. Et quant à ce poisson que vous voyez là, il est dans mon canot. Je l'ai pêché de mes propres mains et il ne servira pas à nourrir les vôtres, mais les miens que voici.

D'un geste large, le pêcheur embrassa alors l'assemblée avant d'assener le coup de grâce à son interlocuteur, d'un ton devenu soudain menaçant :

– Et je vous prie de bien retenir ceci : personne, hormis mes amis, ne s'est jamais permis de me trouver gentil et je ne me fais payer par aucune cuisinière !

Un hourra d'admiration accueillit ces fières paroles tandis que la jeep démarrait dans un crissement de pneus exaspéré.

Zonzon sourit d'aise en se souvenant du vidé jubilatoire qui raccompagna le maître-senneur, porté en triomphe à dos d'homme, jusqu'à sa demeure.

– Tonnerre du sort, il en avait, le Julius !

Emporté par son enthousiasme, Zonzon a sans doute parlé tout haut car il sent fixé sur sa nuque le regard réprobateur de Charlène, englobant tout le mépris qu'elle éprouve pour les êtres du genre masculin.

Le seul personnage du sexe réputé fort fréquenté de près par la mère de l'actuelle vieille dame ayant été (sauf évidente et brève exception) son gendre – le sieur Lagardère –, il est difficile de s'étonner de l'opinion peu flatteuse et éminemment trop généralisatrice qu'elle a des hommes.

Peu de gens eurent en main tous les éléments nécessaires à l'analyse des faits qui achevèrent en débâcle l'ardente passion qui avait, en ses débuts, uni les deux amoureux.

Madame Mouton mère fut tout d'abord, compte tenu de la fermeté de ses positions, soigneusement écartée des balbutiements de l'idylle naissante.

Les jeunes gens ne pouvaient se rencontrer qu'à la sauvette, lorsque Nini allait faire quelques achats pour sa mère à la boutique du quartier. Amour l'attendait non loin de là, piaffant d'impatience, pour pouvoir la raccompagner par les chemins les plus circonvolutionnaires et les moins fréquentés, histoire de lui jurer un amour éternel ou de lui voler un fugace baiser.

Mais, trop rapidement à leur gré, ces naïves précautions se révélèrent vaines.

Bien des humains ne vivent que dans l'attente du faux pas de leur prochain et une ravette-l'église à l'œil aussi acéré que sa langue se chargea volontiers de renseigner Madame Mouton sur les innocentes amourettes de sa fille rebaptisées pour l'occasion du nom honni de liaison scandaleuse.

Les mauvaises langues chantonnèrent à l'envi la langoureuse romance :

Bra dan bra
Kèr dan kèr
Jou dan jou
A lè ta la
Pa ni manman
Ay jigé wè Marèn
Bra dan bra
Kèr dan kèr
Jou dan jou
Pa ni bagay
Ki pli dou...

Bras dans bras
Cœur dans cœur
Joue dans joue
À cette heure

Il n'y a pas de maman
Voire de marraine qui tienne !
Bras dans bras
Cœur dans cœur
Joue dans joue
Il n'y a rien
De plus doux...

Madame Mouton frôla l'attaque cardiaque. Elle pleura beaucoup, invoqua les saints, la Vierge et finit par dévoiler toute l'affaire, à confesse, au sévère curé du bourg.

Charlène fut immédiatement convoquée par l'homme de Dieu qui, grâce à des questions habiles, put se rendre compte que les choses n'avaient pas encore atteint le point de non-retour. Il chapitra cependant la jeune personne et lui arracha la promesse de ne rencontrer son soupirant qu'en présence d'un tiers – de préférence, Madame Mouton – et ce afin d'éviter les funestes tentations charnelles.

La jeune Nini, quasiment recluse dans sa chambre, écrivit une lettre éplorée à l'homme de sa vie. Elle l'y suppliait de préciser nommément la pureté de ses intentions.

Quelques jours après, les deux femmes occupées, au soir tombé, à de moroses travaux de raccommodage sursautèrent en entendant frapper à la porte.

Charlène crut s'évanouir : Amour Lagardère, vêtu d'un élégant costume sombre, se tenait sur le pas de la porte.

Il se présenta avec déférence, sans tenir compte de

l'expression glaciale de la mère de sa bien-aimée et lui causa la plus grande surprise de sa vie en lui demandant dans un français proche de la perfection la main de sa fille Charlène, dite Nini, à laquelle il voulait donner son nom, honorablement connu dans le quartier de l'Ermitage, à Fort-de-France.

Lorsque la pauvre mère comprit que l'histoire ne se reproduisait pas toujours servilement et que son unique enfant connaîtrait sans doute les ineffables joies de la légitimité, son visage entreprit d'abord de se dérider, puis, enfin, de s'illuminer. Ce soir-là, Madame Mouton mère connut pour la première fois un sentiment proche du bonheur.

Le mariage d'amour de Charlène et d'Amour fut inoubliable. On eût juré celui d'un enfant de notable.

Tels les Rois Mages, les invités descendirent, les bras chargés de cadeaux, de tous les mornes environnants. La capitale y était dignement représentée en la personne de marchandes rondelettes en robes fleuries et de jobeurs en trois-pièces à carreaux et chaussures bicolores.

Rayonnante, Madame Mouton servit toute la nuit petits fours, tartelettes à la morue, accras croustillants, langues-de-chat, tablettes-coco, vins doux, chaudeau, champagne, vermouth, rhum vieux et chocolat de première communion.

L'orchestre joua jusqu'à l'aube sans montrer le moindre signe de lassitude, et Charlène, en grand-robe couleur de lys, son regard vert étincelant sous son voile, fut la plus ravissante des mariées.

Zonzon, invité à la noce en tant que fils d'une

famille voisine, ne put s'empêcher d'éprouver quelque dépit devant le charme de l'époux et l'évident ravissement de Charlène, qu'il avait, de tout temps, silencieusement convoitée.

Ce dépit déjà ancien fut-il à l'origine de l'actuel célibat du chauffeur ?

Effleuré par ce problème depuis des années soigneusement enfoui, Zonzon fait à la fois grincer ses dents et son changement de vitesse, en abordant la fin de la descente du Vieux-Manoir, au moment précis où il se sent obligé de rétrograder avant le grand tournant, celui dont la forme d'épingle à cheveux a coûté la vie à tant de centraliens.

Quoi qu'il en soit, les épousailles mirifiques qui avaient endeuillé la vingtième année de Zonzon jeune homme avaient connu une issue peu glorieuse, ainsi qu'on pouvait le prévoir en raison de l'arrogance de l'heureux élu.

Les noces célébrées comme un jour de gloire une fois terminées, le quotidien déferla, sans ménager ses effets, sur le nouveau couple.

Un coup de frein chaotique apparemment involontaire stoppe brutalement le rutilant taxi-pays.

Les habitués de la ligne soupirent d'un air blasé tandis que les éphémères s'interrogent sournoisement du regard. Les premiers sont en effet les seuls à savoir la cause de cet arrêt à la fois inopiné et inévitable : comment Zonzon pourrait-il éviter de marquer une pause, même minime, devant la case au toit dentelé de Cornélie Rumeur, pulpeuse capresse d'une quarantaine d'années – sa propre commère, comme il se plaît à le rappeler – puisque ayant porté avec lui, il y a bien des années, un nouveau-né – lequel au fait ? – sur les fonts baptismaux de l'église du bourg.

Zonzon extrait avec délicatesse un long paquet soigneusement enveloppé de papier d'emballage dont tout permet de penser qu'il s'agit d'un imposant bouquet d'arums, fleurs préférées de la belle Cornélie.

Sans un regard pour son équipage dont il ressent la silencieuse réprobation, il descend dignement de son véhicule et se dirige d'un pas nonchalant vers la maisonnette entourée de glycérias roses.

Les passagers, rongeant, eux aussi, leur frein, le voient disparaître dans l'entrebâillement de la porte qui laisse échapper un éclat de rire dont la musicalité traduit à l'évidence la chaleur d'accueil.

Julius Guinée, imperturbable, sort de sa poche un paquet froissé de Mélias. Après le geste d'excuse traditionnel en direction des dames, il allume sa cigarette, le regard perdu vers l'intérieur de ses pensées.

Un mince sourire étire ses lèvres au souvenir du dernier milan dû à une cigarette, la semaine dernière, dans une bombe stationnée à la Croix-Mission, à deux pas de la rivière Madame : le chauffeur, un petit chabin sec et nerveux à la peau plus rouge que noire, est assis derrière son volant, l'air revêche et la main agitée sporadiquement d'un sonore « marquage » digital. Deux marchandes sont déjà installées au fond de la voiture et attendent, sans impatience, son remplissage.

Un homme jeune, approximativement du même âge que le chauffeur chimérique, pénètre dans le taxi-pays, maugréant un bref salut, totalement ignoré par l'homme au volant.

Sans s'émouvoir de ce manque de courtoisie, le nouveau venu s'installe confortablement sur le coin d'une banquette, croise les jambes, pousse un soupir d'aise et entreprend d'allumer une Mélia bleue, l'allumette au creux de la main pour protéger la flamme bleutée du faible souffle alizéen qui tente de s'insinuer par les persiennes grandes ouvertes.

Exhalant sa première bouffée, il desserre quelque peu son col, histoire d'attendre confortablement le remplissage puis le départ de l'autobus-pays, puisque le second fait ne saurait avoir lieu sans que le premier ait pris fin...

Le chauffeur ne fit pas un geste, il ne se retourna même pas vers son nouveau client. Une veine de son cou se mit à battre de façon fort visible tandis que son teint clair virait au rouge brique. Sa voix sèche s'éleva, semblable au claquement d'un fouet et d'autant plus lacérante que le ton n'était nullement forcé :

– Étind sa ! Éteins ça, tu entends !

Tous les regards des passagers convergèrent instantanément vers le premier arrivant. Celui-ci, pris de court, ne comprit qu'à l'aide de cette muette traduction que l'algarade lui était destinée.

Une expression incrédule envahit son visage tandis qu'il portait les yeux en direction de l'atrabilaire chabin dont la veine battait furieusement, activée par l'afflux du sang de la colère.

Sans bouger d'un centimètre, le chauffeur marmonna encore par deux fois, plus faiblement, mais avec une sévérité accrue : « Éteins ça, éteins ça ! »

Le voyageur porta lentement sa main à sa bouche et huma calmement, intensément, une énorme goulée de fumée qu'il exhala calmement par le nez, plusieurs longues secondes après, vers l'avant du véhicule, en une odorante bouffée. Les passagers, eux, retinrent leur respiration dans l'attente d'un esclandre à la fois craint et espéré.

C'est alors qu'intervint une diversion inopinée : un groupe de marchandes porteuses de paniers vides, aussi rieuses et bruyantes que lasses de leur journée de travail, prirent d'assaut la bombe du chabin rouge, à grand renfort de taloches et de plaisanteries musclées.

Son véhicule dûment rempli, le chauffeur, repris par l'habitude du professionnalisme, débraya d'un geste souple du pied gauche, passa la première d'une paume machinale avant de passer la seconde sans un frémissement de moteur. Le klaxon résonna de façon autoritaire tandis que le véhicule s'ébranlait lourdement, puis s'éloignait de la gare des autobus en direction du pont de l'abattoir.

Il entama la rude côte du lycée, tourna à la grande croix, obligeant les trente femmes présentes à interrompre leur humoristique babil le temps d'un rapide mais dévot signe de croix.

Puis ce fut la route serpentine qui se frayait un chemin parmi les cases disparates des faubourgs, route riche en nids-de-poule et en « gendarmes-couchés », cassis qui se faisaient un devoir de soulever les cœurs les mieux accrochés.

Les marchandes placèrent spontanément leurs avant-bras contre leur poitrine, de façon à éviter à cette dernière les chocs à la fois douloureux et dangereux pour l'élasticité requise.

Un brin de ligne droite où le taxi-pays s'empressa de mugir pour annoncer qu'il atteignait, en ce moment précis, sa vitesse de croisière, et les passagers surent qu'on approchait du bourg de Schoelcher, signalé du plus loin par une imposante statue en pseudo-marbre blanc.

L'autobus croise enfin, propulsé par son avertisseur peu commun, la sculpture du libérateur dolichocéphale – du moins, l'artiste lui a-t-il insufflé vie sous cette apparence.

C'est à ce moment précis que l'homme dont la cigarette Mélia, depuis longtemps fumée, gisait plusieurs kilomètres auparavant, se retourna vers le chauffeur auquel il n'avait pas, depuis leur univoque et brève altercation, daigné jeter un coup d'œil.

Sa voix éclata comme un tonnerre dans le véhicule qui hoqueta sous la violence de l'exclamation :

– Éteindre quoi ? Éteindre quoi ? Misérable imbécile, lorsque ton père fumait encore de la paille de cristophine, avec le ciel en guise de toit, tu ne te serais pas permis de lui dire : « Éteins ça ! » de peur de prendre son pied au cul ! Alors, tu sais ce que tu vas faire ? Tu vas me déposer ici ! Ici même. Ici même et tout de suite, tu comprends ?

Dieu, que les transportés ont ri ce jour-là ! Ils avaient leur content de fessages de main sur le gras de la cuisse, de bourrades à l'épaule et de pieds s'écrasant sur le sol… Ils en avaient pour au moins jusqu'à Saint-Pierre !

Largement dépassées furent les facéties qui détenaient le record de rire, de Schoelcher à Saint-Pierre, en passant par Fond-la-Haye, Case Pilote, Bellefontaine et le petit tunnel plein d'écho qu'on appelle le trou du Carbet : un vrai taxi-pays de pure rigolade !

Ils avaient tant ri qu'ils s'en étaient étouffés, pas comme les passagers aux visages plombés qui, il y a à peine quelques secondes, toisaient sans aménité notre Zonzon Tête Carrée se dirigeant sans mollir vers la case entrebâillée de la toujours belle capresse qu'on appelle Cornélie Rumeur.

Belle, Cornélie l'était sans aucun doute pour lui, bien que l'étonnante abondance de ses formes dénuées de mollesse fût, par certains, contestée (en général, il faut bien le dire, les dénigreurs se rangeaient plutôt dans la catégorie des jeunots, épris de silhouettes plus graciles, à l'instar de celles qui ondulaient en première partie des films de long métrage, au Bataclan, à la séance moins onéreuse du dimanche matin), renouvelant l'antique querelle des anciens et des modernes.

Zonzon, en ce qui le concerne, n'éprouvait pas la moindre hésitation : l'ample corsage, le fessier turbulent, le menton triplé et les fermes bourrelets de chair moirée ne parvenaient pas à lasser sa convoitise toujours en éveil.

Il lui paraissait évident que ce n'étaient pas les reins étroits des jeunesses à la mode qui pourraient le propulser vers les sept cieux de la volupté avec la vigueur cadencée – mi-rumba, mi-boléro – qui avait échu à la seule Cornélie Rumeur.

Il est des femmes dont la vie, dénuée d'aspérités, s'élève aussi lisse que le tronc d'un cocotier royal.

Celle de la belle Rumeur, tout en plaies et bosses, poussées fulgurantes, chutes vertigineuses et freinage in extremis, ressemblait davantage au tronc ramifié du palétuvier.

Si l'on prend la peine de s'y attarder quelque peu, les préjugés concernant l'arbre-roi de la mangrove tombent d'eux-mêmes.

Que l'on ne compte pas sur nous pour, à l'inverse, décrier le cocotier royal, dont la haute silhouette fuselée s'orne d'un panache à la fois gracieux et mouvant.

Le royal est un arbre dont la distinction est reconnue par tous. Ce n'est pas l'un de ces pieds-bois de famille inconnue qui prolifèrent au ras du sol des mornes les plus arides. On n'a pas envie de lui dire « tu », au royal.

Le palétuvier, c'est tout le contraire. Avec ses racines torses et noires, fermement plantées dans la boue du marécage, et l'entremêlement des branches qui supportent son épais mais ordinaire feuillage, on sent qu'il serait perdu si on s'adressait à lui autrement qu'en créole.

Il entend aussi bien les épais jurons des releveurs de nasses et des amarreurs de canots, pataugeant dans la terre visqueuse, que l'aphone langage des milliers de crabes de terre auxquels il sert d'aire de divagations.

Contrairement au royal cocotier, le palétuvier ne se cantonne pas dans un splendide et ombrageux isolement.

Ce n'est qu'un prolétaire qui se plaît à se frotter à ses frères, au coude à coude, pour aspirer de toutes leurs tentacules ligneuses réunies la sève saumurée d'un marécage légèrement nauséabond.

Tel un palétuvier, Cornélie grandit à l'ombre de la mangrove du quartier du Vieux-Pont, auprès d'une mère gaie et fantasque, marchande de poissons, joliment prénommée Luciane et qui, à vingt-cinq ans, avait déjà mis quatre enfants, dont trois vivants, sur terre, avec l'aide de trois concubins. Dans l'ordre de la descendance, Cornélie venait juste avant les deux derniers petits de sa mère, des jumeaux – par pure déveine – dont le père, contrairement aux deux précédents géniteurs, ne s'était pas évanoui dans la nature au lendemain de leur naissance et, puisqu'il faut bien laisser au temps le temps de prendre son temps, nous pouvons nous permettre de faire un bond dans le passé, aux alentours de la vingtième année de Luciane.

Tout le monde avait alors – et depuis bien longtemps – oublié l'être dénué de personnalité qui lui avait fait cadeau d'Abel, son premier-né, aux alentours de son seizième carême. L'homme avait procréé puis disparu, sans se faire réellement remarquer.

On se souvenait davantage de Bérard Merlinot, père légitime de l'enfant Cornélie, deuxième rejeton de Luciane Rumeur. Bérard n'était en aucun cas ce qu'on peut appeler un méchant homme.

Il ne dédaignait pas – comme tout un chacun – une bonne partie de dés, de cartes ou de dominos, arrosée de rhum 75° et de blagues lestes, aussi corsées que le tafia.

Il appréciait – pourquoi s'en plaindre ? – les combats de coqs et les paris de tout genre.

Il aimait – quel mal y a-t-il à cela ? – la danse et la musique.

Il raffolait – et comment l'en blâmer en nos périodes troublées – des femmes.

Tout compte fait, c'était un être du genre masculin tout à fait acceptable : il avait le cœur fragile, l'émotion toujours prête à le saisir à la gorge, le tempérament à la fois douillet et sanguin, l'expression aimable et le sourire avenant.

De temps à autre – et chacun sait que l'esprit humain est volatil – le sien s'envolait vers les sommets vaporeux de l'irresponsabilité : le jour où Luciane, à mi-chemin entre la joie et l'inquiétude, lui annonça qu'elle était en situation, il dut s'asseoir, pris d'un léger malaise.

Sa compagne dut alors se rendre à l'évidence : malgré les attentions pressantes que Bérard lui témoignait chaque nuit – puisqu'il est entendu une fois pour toutes qu'un homme est un homme – il n'avait jamais réellement envisagé que ses prouesses puissent être génératrices.

N'ayant guère que trente ans, il se sentait lui-même encore presque un poupon.

Mais sa tendresse envers sa concubine était réelle et il sut masquer son désarroi : pendant les quinze jours qui suivirent l'annonce, il ne manqua pas de rentrer à la maison avant minuit et d'apporter à Luciane, lovée au fond du grand lit où se poursuivait la mystérieuse alchimie, une délicieuse tisane d'« à-tous-maux ».

Les mois se succédant et la gracieuse silhouette de sa compagne s'alourdissant, son attention dut, malgré lui, se relâcher quelque peu.

Une certaine consternation, parfois entachée d'une once de culpabilité, l'envahissait devant la transformation corporelle de la jeune femme : ses petits seins aigus qui jadis appelaient la caresse avaient tendance à devenir oblongs, s'écartant de son torse de façon plutôt inquiétante.

Ses hanches s'évasaient, basculant disgracieusement tandis que son derrière, jadis pommelé façon pommes-lianes, s'alourdissait façon pommes-France, fruit charnu et dénué, à l'évidence, de tout caractère érotique.

Ayant entamé son huitième mois d'attente, la brisquante, l'agaçante Luciane qui, l'an dernier encore, faisait battre le cœur et les sangs de Bérard Merlinot et de plusieurs autres, s'était métamorphosée en commère rondelette et somnolente. Ses yeux mi-clos semblaient contempler non sans une certaine – bien qu'inexplicable – satisfaction le double phénomène : mutation interne et épanouissement externe.

La babilleuse était devenue rêveuse.

Elle qu'on n'avait jamais pu faire tenir en place n'aimait rien tant, désormais, que se balancer mollement dans sa berceuse, inactive, les mains collées aux flancs avec, aux lèvres, un sourire et une mélopée aussi bizarres l'un que l'autre.

Pour l'homme oublié et déconcerté, les derniers jours précédant les couches furent encore plus longs que les interminables semaines précédentes.

Lorsqu'il rentrait au petit matin, l'esprit penaud et chamboulé de rhum, il ne décolérait pas en apercevant, roide comme le piquet de la Justice fiché devant le pilori du malfaiteur, Man Damien, la matrone de la paroisse qui, en dépit de sa farouche opposition, avait élu domicile en leur demeure, dans l'attente de la proche délivrance.

Cette femme qu'il assurait – l'ayant toujours connue entre deux âges – n'avoir jamais vue vieillir avait assisté sa propre mère à la naissance de tous ses enfants (la sienne y compris) et lui avait toujours inspiré une sainte horreur.

Cette puérile antipathie avait dû voir le jour en même temps – si l'on peut dire, puisqu'il n'avait pas survécu à un cordon ombilical étrangleur – que le premier de ses frères cadets.

Les faits étaient restés nettement gravés dans sa

mémoire : Man Damien avait, dès le début du travail de Madame Merlinot, éjecté sans le moindre ménagement le gamin hors de la case et celui-ci, recroquevillé sur le petit banc près de la citerne, avait eu tout loisir d'entendre, sinon de voir, l'expression orale des douleurs éprouvées par sa mère, vertement tancée par la matrone blasée et sarcastique :

– Arthémise, ma chère, poussez donc un peu ! Si on a pu l'y faire entrer, on doit pouvoir l'en faire sortir !

Lorsque, brusquement, les cris et les halètements de sa mère s'éteignirent, laissant place à un silence épais, le petit Bérard, plus mort que vif, se précipita vers la fenêtre pour y apercevoir une image révoltante : la hideuse mégère, défigurée par un rictus qui lui sembla haineux, tenait par les pieds un petit corps violacé qui ne donnait aucun signe de vie. Pendant que sa mère exsangue éclatait en sanglots, se renversant sur les draps souillés, il entendit avec horreur la sorcière prononcer, d'une voix grasseyante, les paroles suivantes :

– Arthémise, ma chère, ce bougre-là ne fera jamais pleurer une femme ! Grâce à Dieu, vous êtes encore jeune et bien corporée : le prochain coup de reins sera le bon !

Bérard Merlinot ne sut jamais s'il avait imaginé ou non le ricanement consécutif, se mêlant aux plaintes de sa mère, mais à partir de ce jour, il ne put jamais poser sans dégoût son regard sur la matrone, bien qu'elle eût, par la suite, présidé à de nombreuses naissances réussies, au sein même de sa propre famille et à la plus grande joie de tous.

Notre but n'étant ni d'expliquer ceci ni d'excuser cela, mais de cerner la vérité nue, nous nous bornerons à relater les faits, tels qu'ils se déroulèrent, de nombreuses années plus tard, en ce matin du 15 août où devait naître la dénommée Cornélie Rumeur.

L'enfant espéré manifestait quelque paresse à affronter le monde.

La matrone elle-même, qui avait doctement prophétisé sa venue pour la première semaine d'août, commençait à donner quelques signes d'agacement en contemplant Luciane, la future maman, qui s'arrondissait benoîtement, son éternel sourire intérieur fiché sur les lèvres.

Cela faisait près de dix jours que Man Damien avait installé ses pénates chez le couple et elle s'y ennuyait ferme : le voisinage était rare, interdisant milans et autres prises de bec indispensables à l'intégration sociale. L'homme la fuyait comme une pestiférée et la femme avait l'esprit comme enserré dans ses propres entrailles.

Le jour de la fête de la Vierge, l'accoucheuse se leva de fort méchante humeur.

Le quartier du Vieux-Pont était très éloigné du bourg et elle n'aurait su dire ce qui lui pesait le plus, de l'oisiveté ou de l'isolement.

Elle enrageait en évoquant les festivités de l'Assomption qui se dérouleraient au bourg, en son absence : la procession de la Vierge s'étalerait majestueusement dans la rue principale, décorée pour la circonstance.

Marchant d'un pas recueilli en direction de l'église illuminée, les enfants de Marie suivraient modestement le prélat, revêtu de ses atours rituels et encadré par deux enfants de chœur au crâne rasé de frais, revêtus d'aubes blanches et porteurs d'encensoirs parfumés.

Les jeunes vierges de la commune, les yeux baissés, leurs robes blanches agrémentées, dans le dos, d'ailes diaphanes – angéliques attributs confectionnés par les douairières à l'aide de papier de soie – plongeraient gracieusement leurs petites mains dans les corbeilles accrochées à leur taille, avant d'en projeter sur le sol, d'un geste ample, le contenu : des pétales de fleurs.

Suivrait la statue de la vierge Alta Grace, fraîchement repeinte de couleurs pastel propres à évoquer son règne paradisiaque, portée sur un dais chamarré par quatre gaillards musculeux, l'épaule meurtrie par le saint fardeau et la tête dévotement inclinée, tandis que les cloches sonneraient à tout rompre.

À l'idée qu'elle serait privée à la fois de ce grandiose spectacle et de la touchante vision de sa petite-fille préférée, défilant revêtue de la robe en organza ornée de rubans roses et confectionnée par ses propres mains, son sang ne fit qu'un tour.

Marmonnant entre ses dents au sujet des sans-gêne qui disposent irrespectueusement du temps d'autrui, elle s'habilla avec soin, enfila ses gants, ajusta son chapeau à voilette, mit ses bas, s'insinua dans ses torturantes chaussures de cérémonie et s'arma de son parapluie.

Ainsi parée, elle se campa devant Luciane qui se prélassait comme à l'habitude dans sa dodine, l'air absent et repu.

D'une voix ferme, Man Damien annonça à la future mère qu'elle devait s'absenter pour assister à la fête de la Vierge, pour suivre sa procession et pour faire ses dévotions à l'église où chacun sait qu'elles montent plus sûrement au ciel que partout ailleurs.

Sa commère et son futur bébé, ayant jugé bon de la faire lanterner plus de huit jours, contrairement à toutes les habitudes acquises, ne sauraient sans aucun doute lui en vouloir de les abandonner quelques heures à leur mutuelle et évidente satisfaction.

Luciane ne manifestant ni opposition, ni même – il faut bien l'avouer – la moindre réaction, la matrone endimanchée s'empressa de disparaître sur le chemin cahoteux qui menait, à l'époque, vers le bourg de la commune.

Luciane resta sur sa véranda tandis que Nicaise, la petite bonne de quinze ans, préparait le repas dans la petite case-cuisine toute proche. Non loin de là, Abel, son fils aîné, âgé de quatre ans, s'amusait à faire vrombir son unique jouet : une toupie.

La matinée était déjà parvenue en son mitan lorsque les premières douleurs entreprirent malencontreusement de contracter le ventre de la jeune femme.

Se rendant compte qu'elle venait de perdre les eaux, Luciane se garda de perdre son calme.

Elle héla la jeune Nicaise et la pria de mettre à bouillir une grande bassine d'eau avant de se rendre au plus vite au débit de la régie le plus proche où elle ne pouvait manquer de retrouver Bérard qui y passait le plus clair de son temps et de l'adjurer de réintégrer au plus vite son foyer.

Affolée, la gamine obtempéra et s'en fut à toutes jambes.

Les gestes de Luciane demeurée seule devinrent de plus en plus précis : de l'armoire de sa chambre, elle sortit quelques pièces de cotonnade blanche qu'elle étendit sur le pliant en toile, principalement soucieuse de ne pas abîmer le lit de mahogany et la paire de draps brodés qui représentaient sa seule richesse et l'unique héritage d'un père charpentier et d'une mère aide-couturière.

Elle fit asseoir le petit Abel sur un tabouret qu'elle plaça à la tête de la couche improvisée, afin de limiter le champ visuel de l'enfant, lui enjoignant de jouer calmement et de ne s'inquiéter de rien, en dépit de l'inhabituel remue-ménage.

Elle déposa à portée de sa main la bassine d'eau bouillie parfumée à l'essence de vétiver et s'installa le plus commodément possible, en chantonnant à mi-voix, entre deux respirations profondes, évitant l'émission du moindre gémissement, pour ne pas accroître l'inquiétude du garçonnet.

Le chant fit son chemin hors d'elle-même, en même temps que l'enfant en phase d'émergence :

Papa-mwin mô
Man pa pléré
Manman-mwin mô
Man pa pléré
Ti frè-mwin mô
Man pa pléré
Mè pouki, Mondié
Man kay pléré ?

Mon père est mort, je n'ai pas pleuré
Ma mère est morte, je n'ai pas pleuré
Mon frère est mort, je n'ai pas pleuré
Mais pour qui, mon Dieu, pleurerai-je ?...

Une heure après, de retour avec la jeune Nicaise, Bérard Merlinot trouva sa compagne installée sur son pliant taché de sang. Le nourrisson avait été baigné à l'eau tiède et vaguement langé, s'était assoupi sur son sein, épuisé par le marathon de la naissance, encore relié à sa mère par le cordon nourricier.

Le petit Abel, quant à lui, avait posé sa tête sur l'oreiller toujours immaculé, tout près du visage aux traits tirés de sa mère qui chantonnait toujours :

Mais pour qui, mon Dieu, pleurerai-je ?...

Bérard demeura d'abord interdit, comme frappé de stupeur, sur la dernière marche de la véranda.

Oscillant, foudroyé, il dut étendre la main pour se retenir. Sur le point de perdre connaissance, il ne put que balbutier d'une voix empâtée par l'alcool :

– Misérable ! Misérable que je suis ! Seule... Toute seule... Comme ça... !

Luciane Rumeur, levant à peine les yeux sur lui, l'interrompit d'une voix lasse mais ferme :

– Je ne suis pas seule, Bérard, dit-elle. Je suis avec mes enfants !

Les réjouissances qui suivirent l'austère naissance de Cornélie ne durèrent que le temps d'une embellie en saison d'hivernage. Consumé par le remords, le nouveau père se fit de plus en plus évanescent et finit, lui aussi, par disparaître, sans léguer son nom de famille et sans laisser plus de trace que le premier procréateur.

Il devait être écrit quelque part que Luciane, en dépit de ses éminents attraits, tant moraux que physiques, ne connaîtrait jamais les joies calmes et légitimes des couples bien assortis.

Dieu seul sait pourtant que, contrairement au cas de certaines récidivistes, le goût du malheur n'était nullement inhérent à cette charmante créature.

Il est des femmes qui se spécialisent dans les épaves, d'autres dans les benêts. Il en est qui – perversité ou inconscience ? – ne s'éprennent que de brutes épaisses. Mais il y en a aussi qui, faites pour le bonheur, tombent tout simplement sous le coup de la pure déveine.

Luciane fut de ce nombre et, sans l'avoir cherché, elle ne fit jamais rencontre que d'hommes courants d'air, glissants comme anguilles et aussi dénués de personnalité que de virilité.

Son compagnon suivant, Gaston Évariste, n'était en rien le père conscient et le concubin monogame qu'on aurait pu imaginer en le voyant, bien que titubant, regagner la case de la mère de ses enfants, tous les soirs, après une partie de dés.

Ce qui le ramenait à la nuit tombée, ce n'était pas l'amour, c'était la paresse.

Bien que né pauvre, Gaston Évariste avait toujours vécu comme un riche, et ce, depuis sa plus tendre enfance.

Sa mère, solitaire et bigote, l'avait élevé avec sollicitude et dévotion, une dévotion qui s'était répandue avec violence sur le petit garçon, ensevelissant son pâteux égoïsme sous une couche épaisse de totale, d'inconditionnelle dépendance à autrui.

Jamais Gaston Évariste ne s'était étonné de voir trôner au beau milieu de son assiette le seul morceau de viande ou l'unique poisson.

Il mangeait goulûment sous le regard extatique de sa mère qui s'était, le plus souvent, contentée d'un bol de bouillie au toloman.

Il n'appréciait guère la compagnie des autres enfants et dormit dans le lit de sa mère jusqu'à l'âge de trente-cinq ans, qui correspondit à la date de l'épidémie de grippe espagnole qui emporta, en même temps qu'un bon millier de personnes, Madame Évariste mère.

Aussi désemparé que désorienté, Gaston Évariste, mû par un inconscient sursaut d'instinct vital, se rendit compte qu'il ne savait pas éplucher un fruit à pain, qu'il ignorait tout de l'écaillage du poisson et de la cuisson des confitures de patates dont il raffolait.

Il avait quitté l'école fort tôt, non pour travailler dans les champs de canne avec les fils des paysans du quartier, mais pour demeurer douillettement auprès de Madame Évariste qui ne s'absentait que pour faire le ménage et la cuisine d'une grosse mulâtresse fortunée de la place Calebassier, bourg du Lamentin.

Madame Évariste mère était taillée dans le roc et chacun autour d'elle s'accordait à supputer qu'elle atteindrait sa centième année, tout comme l'avait fait sa propre mère.

Cette optimiste prévision s'était si fort imposée à elle qu'elle avait fini, n'ayant jamais été malade de sa vie, par se juger comme quasi immortelle, ce qui engendra deux désolantes conséquences : la première d'entre elles fut que, se sentant tout à fait de taille à assumer le train quotidien de son fils unique, elle ne prit jamais la peine de le diriger vers un quelconque métier.

Il était entendu que, si elle devait absolument trépasser un jour, ce qui était loin d'être avéré, elle ne le ferait que lorsque Gaston lui-même serait à la retraite. (« À la retraite de quoi ? » disaient les mauvaises langues, invoquant complaisamment le proverbe dénué de tout fondement qui affirme que le nègre cherche du travail avec un fusil, pour le tuer !)

La seconde conséquence fut que la grippe espagnole que nul n'attendait en nos tropicales contrées lui procura, en l'acculant à la mort, moins de souffrances que de stupéfaction.

Dans l'église de Notre-Dame-de-la-Délivrande, le curé de la paroisse, nouveau venu et plus alsacien qu'il n'est loisible de l'être, se permit de gloser sur la fausseté de l'éternité du corps, comparée à celle de l'âme.

Cette profonde méconnaissance des conditions socioculturelles de ses paroissiens insulaires desservit franchement la notoriété encore balbutiante de l'arrivant qui ne fut jamais considéré par ses ouailles, pendant plus de quarante années, que comme un jeunot déliquescent, juste bon à apporter le saint baptême à des suceurs de mamelles et nullement préparé à expliciter les mystères sacrés relatés par les apôtres du Fils de la Vierge.

Tenons compte du fait que nous ne sommes pas là pour régler les problèmes des émigrés qui, sous couvert de nous apporter la Connaissance, viennent partager, plutôt de force que de gré, notre viande salée quotidienne.

Nous parlions – ce me semble – de Gaston Évariste qui était sans doute plus paresseux que stupide, étant donné qu'il ne lui fallut pas plus d'un mois pour comprendre qu'une femme pourvoyeuse de chaleur humaine et de nourritures terrestres était indispensable à la survie de son enveloppe charnelle.

Il n'eut aucun mal à faire passer pour un profond chagrin le réel malaise que lui procurait le décès d'une mère aussi méritante.

Au bout de quelques mois, la case de Man Évariste se désagrégeait sous l'assaut de la végétation et des poux de bois, tandis que Gaston s'épanouissait à nouveau au sein du chaleureux foyer de Luciane Rumeur, sis deux ruelles plus loin, à deux pas de la mangrove aux palétuviers arc-boutés.

Neuf mois après, Jocelin et Joceline, faux jumeaux issus d'une double fécondation, agrémentaient la famille de la jeune femme, jadis doublement laissée pour compte.

C'est Cornélie qui éleva Jo et Line, les deux nouveaux arrivants : sa mère était toujours à droite, à gauche, à bâbord et à tribord, à revendre le poisson qu'un pêcheur famélique lui fournissait sporadiquement, moyennant un faible bénéfice qui suffisait à peine à nourrir sa nombreuse progéniture et un homme concubin dont la défunte mère avait, de son vivant déjà, institué l'inutilité existentielle.

C'est un fait avéré qu'après avoir plus ou moins vaillamment assuré la procréation des deux enfants (qui allaient lui assurer le quotidien), Gaston Évariste retomba dans sa bienheureuse léthargie, dont il ne sortit plus que pour manger, pour lancer des dés au bar voisin, et pour boire du rhum agricole 55°.

Cette vie végétative dura une bonne dizaine d'années.

Luciane, la toujours jeune mère, n'avait pas quarante ans lorsqu'un événement totalement imprévu y mit fin.

Gaston Évariste n'était pas ce qu'on peut appeler un mauvais bougre. Tout jeune, il n'était que sombre et geignard. En abordant le virage qui propulse le jeune homme vers l'âge adulte, son caractère s'infléchit davantage vers l'atrabilarité et la quasi-neurasthénie.

Chacune des rares phrases qu'il prononçait commençait par : « Ma maman disait que... » ou « Ma maman pensait que... », ce qui poussait quelquefois sa compagne exaspérée à bénir sans ambages la fatidique épidémie de grippe venue d'Espagne, comme les prunes du même nom.

Ces considérations indisposaient considérablement le fils de Madame Évariste qui se réfugia dans un silence morose, aggravé par l'abus du rhum.

Luciane, nous l'avons dit, était, en dépit de la dureté de sa vie, une femme d'humeur folâtre qui passait le peu de temps où elle pouvait rester chez elle à rire, à chanter, à esquisser quelques pas de mazurka piquée et à conter des histoires aux enfants, tout en vaquant aux besognes ménagères.

Auprès d'elle, une soupe claire devenait un consommé princier, un sarrau rapiécé une robe de gala et le jour de la lessive, si redouté dans les autres familles par les enfants de sexe féminin, se transformait en festivité attendue et les garçons non obligés suppliaient leur mère de leur permettre d'y participer.

Luciane, petite négresse au corps gracile et au double sourire, celui des lèvres et celui des yeux, était née, disait-on, avec le don d'embellir la banalité.

Elle tendait volontiers l'oreille aux chagrins d'autrui et son célèbre rire en cascade était si communicatif qu'elle était fort recherchée en tant qu'amarreuse de chagrins.

Elle savait mieux que personne pratiquer le troc de la courtoisie et échanger généreusement l'une de ses grasses carangues contre une maigre poignée de pois d'Angole.

– Le compte y est, voisine, vous pouvez m'en croire !

Tout ça pour vous dire que Luciane Rumeur était une femme aimée de son entourage et adorée de ses enfants, même si quelques fissures, égratignant la linéarité de son caractère naturellement enjoué, laissaient échapper de brèves colères qui flambaient haut et fort avant que de retomber, consumées, en plaisanteries ou en éclats de rire.

Un soir de pluie, après une vente infructueuse, Luciane regagna la case harassée.

Ayant été, de tout temps, en dépit de son salissant métier, fort soignée de sa personne, elle prit le temps de faire toilette et de changer de vêtement, car la boue de la mangrove avait constellé de taches sa robe de travail.

Une fois rafraîchie, elle se mit sans plus attendre à écailler quelques poissons, après avoir envoyé Abel, son aîné, fouiller une hypothétique igname dans le jardin, en dépit du soir tombant.

La fatigue embarrassait les gestes de Luciane qui fit tomber une calebasse pleine de farine-manioc. Le récipient se brisa et les jumeaux, affamés, se mirent à pleurer. Cornélie, leur petite mère de neuf ans, se précipita pour les consoler avec mille agaceries.

Abel rapporta du jardin une igname terreuse qui, une fois nettoyée, révéla, par de sombres trouées dans sa chair blanche, l'attaque sournoise d'une tribu de vers qui obligèrent la cuisinière à se débarrasser d'une bonne partie de la nourrissante racine. Luciane ne chantonnait plus.

Elle s'activait au-dessus de son feu, le front en sueur, les lèvres serrées, lorsque rentra, plus titubant encore que d'habitude, Gaston Évariste, revenant d'une partie de dominos fort cruelle pour son amour-propre.

En hommage à l'essence même de la paternité, plus qu'à ce père inerte, aussi vide d'argent que d'humour et de tendresse, un bref rituel avait été établi depuis plusieurs années : lorsque Gaston Évariste revenait le soir, la bouche amère et le ventre ballonné de rhum, Abel, le fils aîné de Luciane, le débarrassait courtoisement de son chapeau-bakoua et Cornélie, la cadette, recevait de ses mains le coutelas qu'elle allait placer derrière la porte d'entrée, accroché à un clou spécifique.

Le père donnait alors une tape censément affectueuse à chacun des jumeaux qui l'ignoraient totalement, puis il se penchait vers sa compagne afin qu'elle lui pose sur le front le baiser du pardon journalier. Mais il était écrit que, ce soir-là, rien ne se passerait comme d'habitude.

Gaston s'ébroua dans la pièce, l'arrosant de pluie et de boue. Abel, pour cacher sa fureur, se précipita au-dehors pour apporter les épluchures du manger au cochon.

Cornélie concentra toute son attention sur les jumeaux qui s'étaient derechef mis à hurler et Luciane ne leva pas l'œil de son ragoût qui finissait de mijoter sur le feu.

En même temps que des bribes de souvenir de la chaleur maternelle, un flot de rancœur envahit la conscience hésitante de Gaston Évariste. Cet accueil glacial accrut son sentiment de culpabilité. Il balbutia d'une voix atone :

– Est-ce que c'est une façon d'accueillir le père quand il rentre le soir ?

Luciane se retourna d'un coup, les poings sur les hanches, les yeux étincelants.

– Un père ! Ça c'est un père ! Une véritable nuisance, oui ! Une bouche à nourrir pour la vie en échange d'une nuit peu mémorable ! Je vous le dis tout net, mon bougre, c'est cher payé !

Sous l'emprise de la poussée colérique, Luciane déposa violemment le canari qui contenait le souper sur la table. Les enfants immobiles fixèrent leurs regards sur Gaston qui sentit s'éveiller, dans les tréfonds de son âme en friche noyée de honte et de rhum, une pulsion jusque-là inconnue de lui, la violence.

Il fit alors ce qu'il n'avait encore jamais fait, ce qu'il n'aurait jamais dû faire et ce qu'il ne refit plus jamais : il saisit Luciane aux cheveux et se mit à la frapper avec une brutalité amplifiée par le manque d'habitude qui engendre la démesure.

Luciane, sans un cri, s'affala sur le sol. Cornélie posa les jumeaux hébétés par la nouveauté de la scène sur leur lit de hardes, et, pour les isoler, tira sans brutalité le rideau qui séparait en deux l'unique pièce de la case.

Elle se saisit alors du coutelas qui avait glissé sur le sol et, le tenant à deux mains, l'éleva lentement au-dessus de la tête de son beau-père qui s'acharnait à coups de pied sur le corps allongé de sa compagne.

Abel qui rentrait précipitamment n'eut que le temps de voir le plat de la lame s'affaisser rudement sur le crâne de l'homme qui s'effondra net, totalement inerte et aussi dénué de dangerosité qu'un poulpe mort.

Gaston Évariste n'était pas mort, cependant. Enfin, pas tout à fait mort.

Il n'importuna plus jamais personne. Il ne se mit pas non plus, bien sûr, à travailler, puisqu'il resta couché tout le restant de sa vie, nourri à la cuiller par la pardonneuse Luciane, et ne prononçant plus qu'un unique mot audible : « Maman ! »

La vie reprit dans la case un moment ébranlée, avec ses misères et ses joies, avec la seule différence que Gaston ne prélevait plus sa dîme dans l'escarcelle de sa concubine, car il ne manifesta plus jamais le désir d'aller boire du rhum ou de perdre aux dés les maigres sous de la famille.

Pour le reste, il avait toujours été un père morose et absent...

Ce qui changea, par contre, ce fut le statut de Cornélie qui avait montré qu'elle savait régler les problèmes de main de maître et sans perdre son calme.

Au sein de la famille, on ne parla jamais qu'à demi-mot de cette algarade, et la demi-paralysie de Gaston fut officiellement mise sur le compte d'une attaque consécutive à une boulaison excessive tandis que Cornélie acquérait, juste avant l'anniversaire de ses dix ans, le respect dû à ceux qui mettent la justice et la défense de l'opprimé au-dessus de toutes les autres valeurs morales. Sa vie de femme devait, nous le verrons, confirmer ses dispositions de jeunesse.

Abandonnons-la un moment, en même temps que Zonzon qui, arborant un sourire radieux, regagne son véhicule, méprisant les regards courroucés ou jaloux qui stigmatisent les vingt minutes d'absence que d'aucuns considèrent comme un pur et simple abus de pouvoir.

À la fenêtre entrebâillée qui masque l'intérieur de la souriante case de Cornélie, une main gracieuse et dodue, ornée de fossettes, soulève un rideau de dentelle pour un dernier petit adieu de tendresse.

Ce geste, purement féminin, a toujours réussi à faire fondre le cœur du chauffeur quinquagénaire.

Du bout des doigts, il lui répond par un galant baiser que son souffle propulse vers la petite maison tandis qu'il s'installe, l'œil rêveur et plein de gratitude, au volant de son véhicule qui démarre dans l'amoureux gémissement des pneus caressés par le parallélisme de deux rubans cimentés destinés à éviter leur spongieux embourbement.

L'humeur aimable de Zonzon se répand nonchalamment au sein des circuits rutilants de la machine qui glisse désormais, plutôt qu'elle ne roule.

L'été

*Rythme et son, notes et mots ont enfin trouvé leur vitesse de croisière. Les hoquets et les à-coups ont disparu. Les instruments qui se cherchaient à tâtons se sont trouvés et les rouages disparates se sont rejoints. L'harmonie sereine n'est cependant pas dénuée de vibratos. Le tambour est désormais un battement de cœur ténu, plus proche de la palpitation que du choc. La phrase oublieuse des ruptures s'étire paresseusement, méprisant les évidentes longueurs, et la mélodie s'étale, plane comme une route bien asphaltée, comme une mer d'huile, comme les flèches blanches du champ de canne ondulant à peine sous l'alizé. Le quadrille antillais, utilisant sans complexe une terminologie ignorée des saisons créoles, nomme ce moment l'*ÉTÉ.

Une sorte de bienheureuse sérénité envahit tous les passagers et un doux ronflement s'élève du fond de la voiture où Clodomir, le philosophe, a trouvé l'espace nécessaire pour allonger ses immenses jambes avant de sombrer dans un profond sommeil, le visage illuminé par le sourire de la béatitude et du bien-être. Clodomir rêve. Il rêve à son jour de gloire, au jour de la revanche, au seul jour de sa vie où il fut roi.

Cela s'était passé il y a déjà quelques années, dans la chaleur du carême de 1950...

Tout avait commencé normalement, en ce samedi de marché, et les six sans-travail de la commune s'étaient, comme de coutume, affairés à ramasser les reliefs de la vente pour en faire leur ordinaire sous le regard complaisant des marchands qui pliaient bagage.

Avant de s'éparpiller définitivement, une partie de la foule ici présente fit un petit détour pour boire le verre de la séparation au débit de la régie voisin, curieusement situé à la lisière du centre-ville, entre une verdoyante bananeraie et le cimetière municipal où les défunts Gros-Mornais dorment, eux, de leur dernier sommeil, sous un soleil de plomb qui domine la fraîcheur fertile des fragiles et ligneux arbustes fruitiers.

Juste en face de ce haut lieu du bourg, Sosthène et Edwige Eusèbe ont installé leur bar-épicerie. Les patrons inspirés ont dénommé leur boutique « Au Dernier Feu », non pas, comme pourraient l'envisager les mal-parlants, en référence à l'ultime flamme vitale précédant le dernier voyage vertical de l'être humain : chute vers les abîmes ou élévation vers l'éther, mais beaucoup plus prosaïquement parce que la gent masculine avait coutume, après avoir rendu au récent disparu l'hommage meurtrissant de la marche accompagnatrice au voisin cimetière, chaussée de neuf et vêtue de noir en dépit de la chaleur, de s'y arrêter un bref instant à l'aller, histoire d'avaler tout debout un Royal-Soda à la menthe ou à l'orgeat, ainsi que le préconisait la religion.

Ce n'est qu'au retour de la mise en terre proprement dite que la dénomination de l'accueillant bar-boutique de Sosthène devenait significatif, en raison d'une tradition ancestrale qui poussait les hommes subitement déprimés par la disparition d'un de leurs contemporains à s'y réfugier pour boire, sinon à sa santé, du moins en son honneur, le dernier feu liquide de la rédemption.

La procession religieuse continuait cependant sa route vers l'église pour l'homélie de circonstance, dans le bruissement soyeux des robes des femmes, des prêtres et des enfants de chœur. Pendant ce temps, Au Dernier Feu et assis devant leur premier, les pieds douloureux des hommes se libèrent, les gosiers se désaltèrent, chassant les scories de l'angoisse funèbre et les premiers rires fusent, d'abord timidement, dans la fin de l'après-midi.

Man Sosthène, à la fois digne et souriante, vaque à ses travaux de maîtresse de maison avec dextérité.

Elle essuie les tables, sert, vérifie la monnaie, empoche, voltigeant comme un oiseau, malgré sa corpulence, entre la salle et l'office, aidée par sa petite servante, la gracieuse Lisette.

Sosthène, lui, assure sans mollir son délicat rôle d'hôte participant. Il serait fort mal vu s'il ne daignait pas prendre un punch avec chaque tablée, histoire de ne pas faire de jaloux. Les jours d'enterrement sont, pour les Eusèbe, plus que simple jour de recette. Ce sont, véritablement, des jours de gala dont Edwige Eusèbe est à la fois le phare, l'organisatrice et la bénéficiaire.

Man Eusèbe allait, à cette époque, sur ses quarante-cinq ans, mais pas une ride n'avait encore effleuré son visage noir et rond, à la peau tendue sur de saillantes pommettes africaines. Un éternel madras enserrait ses cheveux rebelles au peigne et au blanchiment.

Son buste ample s'épanouissait librement sous la robe de cotonnade fleurie, ornée, au col, aux manches et à l'ourlet, de fine broderie anglaise et son corps massif se trouvait prolongé par deux jambes musculeuses surmontant deux pieds larges et plats, rétifs au port de chaussures depuis leur âge le plus tendre.

Selon une antique coutume, à l'occasion des funérailles, les sans-travail du bourg, hélés par leurs compatriotes endimanchés, sont sans cérémonie conviés à prendre place avec les plus nantis, pour participer à la communion générale autour de la bouteille de rhum Corneille.

Par malchance ou par hasard, ce fut cet instant de fraternisation gros-mornaise que choisirent les gendarmes à chevaux bais et à peau rouge pour dévaler irrespectueusement la pente drue du morne où est sis le champêtre quartier connu sous le sobriquet d'En-Haut, en direction de la place centrale du village.

Le philosophe avait immédiatement senti l'ambiance bonhomme se figer dès que le hennissement des chevaux et le bruit des bottes viriles avaient confirmé leur intrusion dans le sanctuaire momentané qu'était devenu le débit de la régie du Dernier Feu.

Ils étaient quatre, suants dans leurs uniformes cintrés. Un grognement unanime répondit à leur claironnant salut, puis le plus réprobateur des silences s'imposa de lui-même aux tables des buveurs de rhum, tandis que les nouveaux arrivants, s'épongeant le front à l'aide de larges mouchoirs, commandaient des pastis, ce qui fit froncer le nez à plus d'un dégoûté.

Totalement inconscients de l'impact négatif créé par leur présence inopinée, les quatre gendarmes venus d'ailleurs se mirent à commenter leur récente tournée dans le quartier pauvre mais digne qu'ils venaient de visiter pour les besoins d'une enquête obscure concernant un non moins obscur vol de mouton.

Indifférents aux regards glacés des hommes endeuillés, gênés dans l'expression de leur libation rituelle, ils riaient haut, se frappaient les cuisses, se moquant de tout : des mœurs, des chemins, des cases et même des gens du malheureux quartier d'En-Haut. Sans mot dire, les rhumeurs se remirent à boire. Sur les tables, les bouteilles de Corneille se vidèrent.

Or, chacun sait que, pour que le rhum ne monte pas à la tête, il faut que son ingestion soit accompagnée de paroles et de rires.

Le maître de maison, le pourtant calme Sosthène Eusèbe, fut le premier à perdre son contrôle.

Le capitaine de gendarmerie, grand et gros homme à la carnation sanguine, venait tout juste de traiter Edwige en des termes jugés peu courtois par son légitime époux.

– Eh, Doudou ! Remets-nous quatre pastagas bien serrés, et que ça saute !

Les rhumeurs se hâtèrent de vider leur verre, tandis que Sosthène se levait lentement, avant de se planter devant la table des envahisseurs.

– Est-ce à Madame Sosthène que vous vous adressez en ces termes, gendarmes ? prononça-t-il dans un français dont la perfection même exprimait comme un relent de menace.

Un peu désorienté, le capitaine ne voulut pas cailler devant ses hommes. Il fit l'erreur de conserver son ton goguenard.

– Eh, bonhomme, je ne t'ai pas sonné. J'ai parlé à la patronne ! Alors laisse tomber, tu veux ?

Le débit de voix de Sosthène se ralentit considérablement. Tous ceux qui le connaissaient surent immédiatement ce que cela voulait dire. Deux hommes se levèrent silencieusement et l'encadrèrent.

– La patronne de ce lieu est Madame Eusèbe. On l'appelle communément « Madame Eusèbe ». Moi, je suis son mari. On m'appelle donc « Monsieur Eusèbe ». C'est comme qui dirait une tradition locale... articula Sosthène.

– Eh bien, qu'est-ce qui se passe, Eusèbe ? s'énerva le capitaine. Tu cherches des histoires à la maréchaussée ? Tu veux passer la nuit en taule ?

Sosthène Eusèbe recula d'un pas et cracha par terre, frôlant les bottes rutilantes. Deux autres hommes du bourg se levèrent et se placèrent, eux aussi, à ses côtés, sans mot dire. Sosthène parla de nouveau :

– Vous autres, gendarmes, vous sortez de vos petits bourgs crasseux de France où vous n'êtes rien d'autre que de la merde et dès que vous arrivez ici, vous faites les coqs-games et vous ne craignez pas de nous dérespecter ! Sortez de ma maison à l'instant même, vous entendez ? Dehors !

La petite biguine méconnue, stigmatisant les gendarmes venus d'ailleurs, se mit à flotter dans toutes les mémoires et sur toutes les lèvres :

An swè, bô la jandamri
An violon é an gitar
Té ka jwé an mélodi
An jandam barbar di :
« Messieurs, il est trop tard ! »

Jandam-la koumansé di :
« Messieurs ce n'est pas malin !
Il est bien plus que minuit !
Donnez-moi ces instruments
Et fichez le camp ! »

Jandam-la kouyon
San gou, san finès
An band péyisan
Kô-yo, sé an boul grès
Yo ka jwé pétank
Sé sèl travay-yo
Yo rish kon la bank
E yo pa ni limpo...

Un soir, près de la gendarmerie
Un violon et une guitare
Jouaient une mélodie
Un gendarme barbare dit :
« Messieurs, il est trop tard !

Le gendarme s'enhardit :
« Messieurs, ce n'est pas malin !
Il est bien plus que minuit !
Donnez-moi ces instruments
Et fichez le camp ! »

Le gendarme est couillon,
Sans goût et sans finesse.
C'est un paysan,
Son corps est une boule de graisse !
Il joue à la pétanque,
C'est son seul boulot
Il est riche comme la banque
Et ne paie pas d'impôts...

À partir de ce moment, les souvenirs de Clodomir deviennent quelque peu confus. C'est sous forme de flashes que sa mémoire les lui transmet :

Le capitaine se levant, violacé, la main posée sur son arme ; les trois gendarmes remettant leur casquette réglementaire ; le poing de Sosthène s'écrasant sur le menton du capitaine ; les hommes se jetant sur les gendarmes ; Edwige brandissant son balai ; lui-même, Clodomir, avalant son dernier verre avant de se jeter bravement dans la mêlée ; quelques tables volantes traversant la salle ; une bouteille de pastis s'écrasant sur le mur ; un œil poché ; un nez sanguinolent ; un ceinturon arraché ; puis la mêlée confuse se terminant par la déroute sans gloire des forces de l'ordre dépenaillées, contusionnées, et maugréant des menaces, sous les rires et les vivats des vainqueurs.

Après la retraite des hommes en uniforme, le Dernier Feu connut une véritable soirée d'apothéose.

Quelques hommes allèrent chercher des dames – parmi les moins farouches du bourg – et la fête battit son plein : on but encore, on mangea et on dansa jusqu'au petit matin, chacun se remémorant ses hauts faits et la piteuse défaite des arrogants étrangers. Le plus discrètement possible, on pansa quelques ecchymoses et on badigeonna d'arnica quelques bosses.

Le jour suivant se passa dans une douce euphorie, pleine de sourires complices et de clins d'œil furtifs. On eût dit que tous les dissentiments internes de la commune avaient disparu comme par enchantement pour laisser place à un front uni et unanime, lié par la solidarité de l'opprimé contre l'oppresseur.

Mais la sérénité retrouvée fut de courte durée.

Balthazar, le facteur du centre-ville, qui n'avait pas été le dernier à retrousser ses manches lors de la vengeresse échauffourée, apporta le surlendemain au débit de la régie une lettre au cachet fort inquiétant.

Mue par un désagréable pressentiment, Edwige ouvrit la lettre et la lut à voix haute. Balthazar, comme à l'habitude, avait remis le courrier à Edwige qui était, depuis leur mariage, chargée d'en faire la lecture à Sosthène, lequel avait dû quitter précipitamment l'école pour aider son père aux champs, l'année où ses contemporains entamaient, sur les bancs de l'école primaire, l'apprentissage ardu de la lecture dans une langue dont ils ignoraient tout : le français.

Le pressentiment d'Edwige s'avéra fondé et plongea les propriétaires du Dernier Feu dans la consternation : les gendarmes portaient plainte pour coups et blessures et injures à agents de la force publique dans l'exercice de leurs fonctions. Les voisins et les amis, ameutés par l'itinérant Balthazar, vinrent apporter au couple affligé l'assurance de leur compassion.

On vilipenda les hommes aux képis, qui, non contents d'avoir cherché (et reçu) une bonne volée, se montraient à la fois lâches et revanchards, en se cachant derrière la sacro-sainte justice au lieu de régler l'affaire d'homme à homme et poings contre poings !

En fait, la missive fatidique, lue et relue par les lettrés de la commune, comportait deux parties : la première était la plainte déposée par les gendarmes du Gros-Morne contre les époux Eusèbe et plusieurs clients notoires de leur établissement, la seconde leur faisant obligation de comparaître, aux fins de jugement, devant le tribunal de Fort-de-France, à une date située près de deux mois après l'altercation.

La désolation envahit sur-le-champ les habitués du débit de la régie.

Chacun savait par expérience que, du nord au sud de l'île, les gendarmes avaient, devant la justice, toujours raison et ce, avant même que de porter plainte. Mais Edwige Eusèbe n'était pas femme à laisser faire les choses en accusant le sort.

L'hôtesse du Dernier Feu ne présentait aucune ressemblance avec le mouton qui, comme le dit le proverbe, aime à laisser pendre son cou pour se faire plaindre.

Telle est la leçon, énoncée sur le mode badin, contenue dans la vieille romance créole qu'on peut approximativement traduire ainsi :

Fanm tonbé
Pa janmin dézèspéré (ter)
Nonm tonbé ka tonbé kon
An friapin dou...

Femme qui tombe
Ignore le désespoir
Homme qui tombe
S'écrase au sol
Comme un fruit à pain trop mûr.

C'est Edwige, donc, qui fut à l'origine de l'extraordinaire idée qui allait mobiliser, pendant plus de soixante jours, une bonne partie des énergies gros-mornaises.

À la grande inquiétude de la population, le bar-épicerie resta fermé une journée entière : Man Eusèbe réfléchissait...

Le lendemain, dès l'aube, les premiers tafiateurs furent stupéfaits de la trouver, accorte et souriante, à son poste de travail.

Clodomir se souvient parfaitement que Lisette, sa petite bonne, avait été priée par la patronne de faire le tour du marché et d'en ramasser tous les sans-travail à l'affût de petits jobs ou en attente de la récolte gratuite des fruits et légumes laissés pour compte.

La nouvelle se répandit comme une traînée de poudre : Edwige et Sosthène offraient une tournée gratuite aux démunis de la paroisse, pour fêter la réouverture de leur commerce.

Une demi-heure après le lancement des invitations, le bar, en dépit de l'heure matinale, regorgeait de monde.

Edwige reçut chacun avec les plus grands égards. Sosthène trinqua avec tous les arrivants avec une cordialité qui ne pouvait pas être feinte. Lisette, tout sourire et fossettes, fit une distribution de cigarettes, remportant un franc succès.

Lorsque tous furent bien installés, le cœur et le gosier irradiés de bonne chaleur, Man Eusèbe commença, non sans grâce, à exposer son plan :

– De quoi s'agit-il ?

– De débouter les gendarmes !

– Pourquoi faut-il les débouter ?

– Parce qu'ils ont tort, répondit la cantonade.

– Tort de quoi ?

– Tort d'arriver ici en pays conquis ; tort de traiter l'habitant comme un vagabond ; tort d'irrespecter ce qu'ils ignorent ; tort de tutoyer le monde ; tort de familiarité ; tort de mépris ; tort de boire du pastis, boisson puante et additionnée d'eau, et caetera, et caetera...

Edwige Eusèbe se leva avec dignité et prononça les mots suivants :

– Je propose d'organiser notre propre défense !

Hourras et acclamations accueillirent cette déclaration. Edwige, harcelée de questions diverses, explicita sans fioritures son plan de bataille.

Il lui fallait des troupes : elle espérait que les sans-travail de la commune accepteraient d'en fournir le gros.

– Nous acceptons ! hurlèrent-ils en chœur.

Edwige leva la main, pour calmer l'enthousiasme :

– Merci à vous tous. Nous avons besoin d'un local : nous l'avons ! Vous êtes dans ce local !

– Zéro faute ! Ça, c'est un local, répondirent les pauvres aux anges.

Poursuivant son exposé et portée par le succès, Edwige Eusèbe éleva la voix pour éclairer les points demeurés obscurs, serra quelques mains, et, souriante, conclut sous des vivats qui se transformèrent bientôt en un tonnerre d'applaudissements.

Dès le lendemain le plan par elle établi entra dans sa phase d'application.

La première quinzaine vit le bar-épicerie se transformer en atelier de couture. Les féminines armées d'Edwige, sous la direction avisée de la patronne et de sa sœur aînée (une ancienne institutrice prénommée Délice et affectueusement surnommée « Délice Golden », en raison de son inconditionnel attachement à la grande équipe de football martiniquaise, au nom anglicisé selon la mode de l'époque : j'ai nommé le Golden Star !), prirent les mesures des sans-travail, taillèrent, coupèrent, cousirent, ourlèrent.

Ce laps de temps une fois écoulé, arriva le moment qui devait demeurer dans les annales locales sous le nom de « Jour de l'Essayage ».

Feu Adhémar Tête Carrée, père de Zonzon, avait coutume, faisant référence au goût inné de l'Antillais pour la belle vêture, de déclarer avec humour que le Martiniquais était un « Marquis-nu-pieds ».

Quel est celui qui n'a jamais vu sortir d'une

humble case de Terre-Sainville une gracieuse personne vêtue d'une robe de lin valant le prix de six mois de son salaire ? Qui n'a assisté à la sortie de la cathédrale, à l'issue de la grand-messe du dimanche ?

Les rares hommes présents y font assaut d'élégance à grand renfort de chaussures bicolores, de chemises à plis religieux et de costumes trois-pièces.

Le Jour de l'Essayage, tous ceux que la gendarmerie à cheval, dans son assignation diffamatoire, avait affublés du grotesque et incompréhensible surnom de « clochards », à savoir les sans-travail de la place du marché, se retrouvèrent au Dernier Feu pour présenter à la société le résultat des travaux des commères ravaudeuses d'Edwige Eusèbe et de sa sœur, Délice, dite « Golden ».

Ce ne fut pas un succès. Ce fut un triomphe ! Les dames réunies applaudirent à la fois leurs travaux et leurs mannequins :

« Grain de riz », en dépit de la peau blême de son minuscule visage (sans doute dû aux fers qui facilitèrent sa tortueuse naissance), fit la preuve que l'ombre des larges bords d'un sombre chapeau de feutre pouvait remédier à la disgrâce qui lui avait valu son infamant surnom.

Il en fut de même pour « Ciseaux » dont les jambes arquées évoquaient irrésistiblement la forme d'un X. La coupe élaborée d'un pantalon taillé sur mesure et présentant volontairement un léger flou au niveau des genoux fit disparaître son infirmité sous les plis soyeux du tissu.

La petite taille de « Tikano », rehaussée par des chaussures compensées, masquées par un large revers, se mua en silhouette presque élancée.

« Ayoul », compositeur de chansons de marché, fit sensation dans un complet-veston en cheviotte pied-de-poule, peut-être un brin trop chaud pour le climat.

« Coulirou », l'échappé-Indien à la chevelure d'un orange flamboyant, héritée d'un père à la fois de passage et irlandais, remporta de nombreux suffrages dans son trois-pièces en drill blanc immaculé, fortement concurrencé par « Ton Germain », qui s'était toujours vanté d'avoir été le seul nègre à se rendre sur les terres glacées du Groenland – là où l'homme ne voit jamais le soleil, où la nuit règne en maître tyrannique – aux côtés de l'illustre commandant Charcot, seul maître après Dieu du non moins célèbre navire insolemment nommé le *Pourquoi-Pas*. En référence à son ancien métier, les dames ne l'avaient pas chapeauté. La haute silhouette du chabin rouge avait été surmontée par une casquette galonnée qui lui donnait une allure à la fois crâne et aristocratique.

Chacun de ces messieurs fut ovationné, admiré, encensé et embrassé.

Le moins fêté fut sans doute Sosthène Eusèbe qu'on avait déjà vu cent fois dans le costume noir confectionné vingt-cinq années plus tôt par le tailleur du bourg, à l'occasion de ses noces avec Edwige et qui, il faut bien l'avouer, le boudinait quelque peu aux entournures, tandis que les sans-travail bénéficiaient de l'effet de surprise, car on ne les avait jamais vus que revêtus de hardes plus ou moins sordides.

L'automne

Cette dénomination mélancolique en Europe n'est, là encore, guère utilisée que pour le quadrille... et pour cause. De notre bord du monde, elle ne trouve sens ni dans le fond ni dans la forme, car les Avents de Noël représentent bien la plus colorée et la plus volubile de toutes nos saisons. À cette occasion, la nature exulte et la floraison explose à chaque détour de chemin. Le temps est limpide et le ciel étrangement dénué des habituels nuages blancs. Dans l'air d'une particulière transparence voguent des bribes de cantiques en français du XVIIIe *siècle, tropicalisés par l'intrusion de la parole créole et d'un rythme effréné que d'aucuns jugeraient quelque peu satanique : « Joseph, mon cher fidèle, cherchons un logement. Le temps presse et m'appelle à mon accouchement », chantonne Marie à peine inquiète en dépit de l'état d'ébriété avancé de saint Joseph qui se verra contraint de passer dehors la Sainte Nuit. Plus profane que sacrée, la phase automnale du quadrille oscille, comme le « chanté Noël » traditionnel, entre profondeur et légèreté. La musicalité atteint sa plénitude tandis que les heures sont au sourire et s'égrènent sans offense. Le moteur de la vie est une mécanique bien huilée et la route est idéalement plane. Balayant les scories chimériques, le grand rire frémissant de la Fête de la Naissance va bientôt se répandre sur l'île, parmi les carillons et les alléluias.*

Le mardi 18 avril 1940, le couple du Dernier Feu et leurs amis, dûment endimanchés, s'entassèrent cérémonieusement dans la bombe roulante de Zonzon pour un voyage sans escale en direction de la capitale.

Leur arrivée ne manqua pas d'éveiller l'attention de la foule de badauds foyalais qui, comme à l'habitude, faisaient mine de s'activer dans le périmètre du Palais de Justice, où les commerces huppés côtoient les incontournables marchandes de pistaches et de pilibos ainsi que les chariots des vendeurs du succulent mélange de sirop fluorescent et de glace pilée appelé « Sinobol », nouveau clin d'œil à notre anglomanie.

Le taxi-pays ayant dégagé l'espace à l'aide des six notes tonitruantes de son avertisseur s'immobilisa en un vigoureux crissement. La première à en descendre fut, rutilante de tous ses bijoux – et pas du chrysocale, vous pouvez m'en croire –, Madame Eusèbe en personne, sanglée dans une grand-robe de type « à colleret » et de couleur violette, coiffée d'un madras élégamment assorti noué à la manière « cœur pris », en hommage à son compagnon de vie ; celui-ci, prenant très au sérieux son rôle de prince consort, se précipitait, épanoui, à sa suite.

Le groupe des sans-travail suivit, sans la moindre bousculade, dans un silence empli de dignité, uniquement ponctué par les murmures admiratifs de la populace foyalaise qui, ayant immédiatement flairé la possibilité d'un spectacle à la fois gratuit et juteux, leur emboîta sans hésiter le pas.

La salle du Palais de Justice parut bientôt trop petite pour contenir une telle foule. Nul n'avait, jusqu'alors, au sein des instances judiciaires, estimé que le thème d'une simple altercation de village aurait pu drainer une telle assistance, habituellement réservée aux scandales issus des cénacles politiques ou des alcôves de l'élite bourgeoise.

En entrant dans la salle, le juge endormi se frotta les yeux et les avocats poussiéreux, saisis de gêne devant l'élégance inhabituelle de l'auditoire inattendu, remirent un peu d'ordre dans leur toilette.

Les gendarmes rescapés de l'aventure déjà lointaine pour eux de la guinguette du Gros-Morne, ne s'étant déplacés que par principe, pour une affaire somme toute mineure où il ne s'agissait que de clore le bec à quelques grandes gueules campagnardes, n'en revinrent pas.

Dans un français idéal, dû à de longues et fastidieuses répétitions, les témoins se succédèrent à la barre. Sosthène, comme qui dirait en grand deuil, s'affligea sur l'irrespect dont la gent armée avait cru bon d'abreuver, mettant en cause son honneur d'homme et de Martiniquais, une respectable ménagère gros-mornaise, sa propre et légitime épouse, Edwige Eusèbe.

Celle-ci, le remplaçant à la barre, exprima avec une réelle vigueur son indignation, faisant jouer leur évident rôle d'assesseurs à ses bijoux d'or massif guyanais.

Les épingles tremblantes vibrèrent à son corsage, comme autant d'aiguillettes, les « tétés-négresses » dardèrent leurs rigides pointes d'or à ses oreilles, les colliers-choux illuminèrent sa gorge mordorée et les grains d'or étincelèrent à son poignet.

Le discours aurifère d'Edwige Eusèbe souleva l'enthousiasme des fauchés de Fort-de-France, où chacun, homme comme femme, sait le prix des efforts indispensables à l'obtention de la quasi-totalité de l'arsenal bijoutier inhérent à la femme adulte. Si un enfant équivaut à un bienfait, un bienfait vaut bien un grain d'or plein, en dépit de la naturelle ingratitude de l'homme.

C'est la raison pour laquelle la matador possède un collier alors que la jouvencelle, apparemment mieux armée, ne peut orner ses oreilles que de boucles d'oreilles dites « créoles », héritées de sa propre mère.

Entre les sans-travail du verdoyant bourg du Gros-Morne, le passage de relais approcha de la perfection qui n'est pas de ce monde, n'appartenant qu'à Dieu.

Lorsque « Grain de riz », qui avait été enfant de

chœur, évoqua fort à propos une parabole biblique dont beaucoup n'avaient jamais entendu parler : « En vérité, celui qui vainquit par le glaive périra par le glaive ! », l'assistance frissonna et les connaisseurs hochèrent la tête avec admiration. « Voilà un nègre qui s'y connaissait à la façon de distiller le français ! »

Lisette, vêtue d'une stricte robe d'orpheline de l'ouvroir, sobrement ornée d'un simple col blanc, se tailla un indéniable succès personnel, bien que sa prestation ait eu, selon l'avocat de l'accusation, le tort de s'éloigner quelque peu du thème des débats.

Mais l'adage créole qui affirme que Jalousie est frère de Sorcier fut alors confirmé. Personne ne put nier qu'elle récita avec une telle émotion les dernières strophes de *La Mort du loup* de Monsieur de Vigny que les larmes perlèrent aux coins des yeux des marchandes de pistaches qui, elles, avaient immédiatement saisi le rapport entre l'affaire du Gros-Morne où, même pareil que dans celle du loup de France, la noire dignité s'opposa à la répression la plus féroce :

> ... Et n'a pas desserré ses mâchoires de fer
> Malgré nos coups de feu, qui traversaient sa chair,
> Et nos couteaux aigus qui, comme des tenailles,
> Se croisaient en plongeant dans ses larges entrailles

« Ton Germain », le très célèbre chabin rouge, réussit miraculeusement à placer la quasi-totalité de

son ultime voyage dans les mers australes, sous l'égide du regretté capitaine Charcot.

Ce véritable tour de force fut apprécié comme il se doit, d'autant plus que, malgré les frénétiques coups de marteau d'un juge apoplectique, il entama d'une belle voix de basse le premier couplet d'une antique chanson à boire chère aux marins des longues traversées et où le roi d'Angleterre se trouvait copieusement injurié.

« Ciseaux » parla peu, mais prit soin de déambuler ostensiblement en exagérant sa claudication native, faisant gronder l'assistance qui l'imputa sans hésiter aux brutalités policières précédemment évoquées.

L'ex-pêcheur, « Tikano », compara sans déplaire la violence de l'attaque du bistrot à celle des flots déchaînés pendant un raz de marée.

« Coulirou », l'Indien aux cheveux de feu, rappela, la voix brisée, que le martyre de sa courageuse ethnie, fuyant les inondations et les persécutions de sa terre d'origine pour venir ensemencer cette île encore mal dégrossie, lui donnait droit à être reconnu en tant que membre à part entière du vaillant peuple martiniquais, ce que le juge épuisé lui concéda sans la moindre difficulté.

Le père Ayoul, grand tireur de contes devant l'Éternel, succéda au coolie flamboyant et acheva la déroute de l'Occident en lui assenant, en professionnel de la narration qui a l'habitude de retenir sa respiration pour lancer le vocal, une série de proverbes rendus encore plus ésotériques par une traduction incongrue qui déclencha le fou rire dans la foule des créolophones.

Les autres, saisis de vertige comme devant le gouffre béant de l'incommunicabilité linguistique, s'entendirent débiter d'un trait que bien que les seins ne soient jamais trop lourds pour l'estomac, les chiens attachés sont destinés à la lapidation ; que les bœufs de devant ont seuls droit à l'eau claire tandis que la rivière ne charroie pas ce qui te revient ; étant entendu une fois pour toutes que le molosse le plus haïssable a les dents blanches et que le macaque s'éblouit toujours de la beauté de son petit dernier...

– Cric !, lança un plaisantin de l'assistance pour mettre fin au déluge de l'avalasse.

– Crac !, répondit incontinent celle-ci.

Et tous de s'esclaffer et de se frapper bruyamment les cuisses avec le plat de la main !

Bien que l'envolée du père Ayoul eût ébloui l'assistance, la palme du triomphe revint sans aucun doute à Clodomir qui, sentant peser sur ses épaules le poids symbolique du discours du dernier intervenant, tint à proposer un spectacle de clôture de haut niveau.

Le maigre et flegmatique philosophe déplia lentement sa haute silhouette, afin de ménager ses effets spéciaux.

Un halètement de stupéfaction parcourut le groupe des élégants venus du Gros-Morne.

Le bonhomme s'était si innocemment faufilé dans la foule que personne ne s'était rendu compte qu'au lieu de la sombre veste croisée prévue par les créatrices de costumes, Clodomir, par pur goût de la provocation, avait découvert et enfilé une authentique soutane, à peine luisante aux coudes. D'une de ses poches, il sortit une paire de lunettes aux verres fumés qu'il enfila sans hâte, accentuant ainsi la ressemblance avec un « Père-savane » haïtien.

Certains crurent sans doute que le nouvel orateur allait renouveler la performance biblique du dénommé « Grain de riz », mais Clodomir n'est pas un simple liseur de versets, Clodomir est un orateur !

Le voilà qui élève les mains vers le ciel pour faire taire les chuchotements qui persistent. Un silence épais s'installe dans la grande salle du Palais de Justice tandis que se déroule le flot oratoire, le déluge verbal, le fleuve de paroles, le cyclone de mots qui devaient rester dans les annales du public pourtant blasé de ce lieu propice aux envolées lyriques.

Ce ne fut pas un sermon, malgré le costume d'emprunt de l'orateur, ce ne fut pas une plaidoirie, en dépit du lieu où ce discours mémorable fut prononcé ; ce ne fut pas un monologue, puisque les membres du public, transformés en répondeurs actifs, portèrent jusqu'au bout l'orateur par des secousses vibrantes et opportunes.

Moins badin qu'une intervention, moins familier qu'une palabre, moins tonitruant qu'une exhortation, moins louangeur qu'un panégyrique, moins grondeur qu'une homélie, moins solennel qu'une harangue, moins grandiloquent qu'une tirade, moins docte qu'une conférence, moins froid qu'un exposé, et moins suppliant qu'un prêche, moins individuel qu'une apostrophe et moins agressif qu'un réquisitoire, telle fut ce qui resta dans toutes les mémoires sous la dénomination de « la Parole de Clodomir ».

Et nombreux sont ceux qui considèrent ce vocable comme la meilleure définition de ce que le penseur local donna à entendre ce jour-là. Certes non, ce n'était pas un discours ordinaire, c'était une pensée, une vue, une profession de foi, l'exposé d'une éthique, la proclamation d'une prise de conscience, précédée d'une analyse en bonne et due forme et suivie, comme seuls savent le faire les plus grands, d'une série de corollaires logiques, lumineux d'évidence.

Par la force du dire, la simple algarade prit une signification historique, politique et sociologique. Par l'élévation spirituelle, elle atteignit les sphères philosophiques. Par la beauté de la forme, elle frôla la pure poésie, consacrant définitivement une réputation hier encore inexistante.

Les gendarmes querelleurs et revanchards ne furent pas seulement déboutés, Messieurs et Dames. Ils furent honnis, ridiculisés par un non-lieu qui leur épargnait in extremis l'infamie du solde des frais de justice, ce qu'on n'avait encore jamais vu dans ce pays où, à l'accoutumée, la force publique avait déjà raison avant même d'avoir eu l'idée de porter plainte.

Le voyage de retour du taxi-pays vers le Gros-Morne fut triomphal. Au Dernier Feu, la fête roula toute la nuit et l'on dansa jusqu'à l'aube biguines, calendas et mazurkas piquées tandis que roucoulait le « tambour bel air » et que s'égosillait l'acide flûte des mornes.

Les femmes firent les yeux doux à Clodomir qui avait retrouvé son créole bredouillard et « Ton Germain », lançant son éternel défi à la souffrance physique, paria une fois de plus avec un quidam de passage qu'il ingurgiterait en mâchant un piment rouge du type « Bonda Man Jacques », d'un seul coup d'un seul.

Certains affirmèrent par la suite que cet ultime exploit fut à l'origine de la congestion cérébrale qui faillit l'emporter à l'aube, le laissant tout cagou, tout chamboulé, la lippe triste et les yeux tournés vers l'intérieur, pleins du spectacle délirant des mers grises où surnagent des montagnes de glace à la lente dérive, nommées « icebergs » par l'équipage cosmopolite de l'inoubliable *Pourquoi-Pas* du commandant Charcot.

Au petit matin, épuisés et heureux, les derniers fêtards s'en furent, quelque peu titubants.

La sœur aînée d'Edwige, Délice Golden, fut la seule à ne pas regagner sa chambre.

Elle s'affaira un long moment à la cuisine avant de se rendre à pied au match qui, au stade lointain de la commune voisine, opposait les footballeurs du Club Colonial à ceux de l'Étoile d'Or.

Lorsqu'elle regagna le Gros-Morne, dans le cours de l'après-midi, malgré la nuit blanche, la longue marche et la participation à l'événement sportif, elle ne se rendit pas immédiatement chez elle pour y prendre du repos.

Si l'un des habitants – mais tous dormaient encore – l'avait alors suivie, il l'aurait vue se diriger en claudiquant vers la tombe de son dernier-né, comme après tous les matches du Golden Star qu'elle n'aurait manqués pour rien au monde, depuis la mort accidentelle de Jacob, il y avait déjà dix années, en pays étranger, peu avant son vingt-cinquième anniversaire.

Délice, avant sa disparition, n'avait jamais mis les pieds dans un stade, mais elle était insensiblement devenue, sinon une véritable connaisseuse, du moins un authentique supporter.

Elle se félicitait chaque jour que Dieu fait d'avoir, méprisant la dépense, suivi sa première impulsion et fait rapatrier la dépouille de Jacob. Grâce à cette heureuse initiative, le dialogue un instant interrompu entre la mère et le fils tant aimé avait pu se renouer sur la base de l'amour du noble sport.

C'est ainsi qu'un espion éventuel aurait pu, tendant l'oreille, saisir le sens du monologue murmuré par Délice, assise, sereine, à l'ombre de la pierre tombale de son enfant :

– Sapristi, mon garçon, j'ai bien failli n'avoir rien à te raconter aujourd'hui ! Une heure avant le début du combat – enfin, du match –, une petite pluie bien mouillante s'est mise à fifiner et je me suis un peu inquiétée, parce que tu as toujours affirmé que les terrains lourds étaient mauvais pour notre équipe. C'est bien ça que tu disais, n'est-ce pas ?

Mais moi, j'étais en avance, naturellement, car j'aime bien avoir tout mon temps avant le coup de sifflet.

J'ai donc pu choisir ma place habituelle. J'ai essuyé avec soin mon siège ; j'ai posé sur le dossier mon petit coussin, contre mes douleurs de reins ; j'ai installé mon pliant de toile, contre l'arthrose de mon genou ; j'ai accroché à l'accoudoir mon vieux panier caraïbe qui contient ma gourde de mabi, contre la fatigue (j'espère que tu n'es pas de ceux qui croient toutes les bêtises qu'on raconte au sujet de cette décoction revigorante !) et mon flacon de bay-rhum contre l'émotion.

Et devine de quoi j'ai rempli ta gamelle, contre la petite faim de la mi-temps ? De ton en-cas favori : un féroce ! Mais pas n'importe lequel, tu t'en doutes ! Juste ce qu'il faut de farine de manioc bien blanche et juste un peu trop d'avocat, comme tu aimes, de cet avocat violet à goût de noisette-France et pas de vulgaires échalotes, bien sûr, mais de la cive fraîchement cueillie et hachée menu, un filet d'huile légère parfumée d'ail et du piment – pas de piment rouge, quelle hérésie ! – mais du piment vert émincé en fines lamelles, celui de mon jardin, le seul qui trouvait grâce à tes yeux, tu t'en souviens ?

Et ne me fais pas la honte de croire que j'aurais gâché tout mon bon mélange avec des miettes de morue salée ! Non ! Ce matin, j'ai fait rôtir sur du charbon de bois parfumé au thym deux beaux harengs saurs dorés.

Ensuite, je les ai pelés, débarrassés de toutes leurs petites arêtes et j'en ai finement chiquetaillé la chair.

Le résultat, mon petit ? Tu t'en serais léché les doigts : c'était le féroce le plus moelleux, le plus parfumé, le plus réussi de ma longue carrière de « cordon-bleu ». Tu vois que je n'ai pas oublié comment tu parlais, avec tes drôles de mots venus d'ailleurs !

Le Ciel m'est témoin que je suis loin d'être une

personne qui aime à se mettre en avant, mais je peux dire que je n'ai pas à avoir honte de mon manger.

Ni feu ton père ni aucun des neuf enfants que j'ai mis au monde ne m'a jamais fait le moindre reproche à ce sujet, bien au contraire, merci.

Tous mes garçons ont, comme il se doit, sermonné leurs épouses à ce sujet : ma belle-fille Sonia refusait d'ajouter du beurre rouge à son court-bouillon, sous prétexte que ça la faisait grossir. Madly, la femme de Samuel, faisait bouillir, et non pas frire les bananes de son gratin ! Régina, la compagne de Raphaël, n'a jamais pu retenir la recette du flan au coco et cette chipie de Myrtha, non contente de rouler la langue de façon abusive, sous prétexte qu'elle avait passé deux ans en métropole, avait le toupet d'ajouter du concentré de bouillon d'exportation aux arômes délicats de notre soupe-z'habitants !

Tu sais qu'il n'est nullement dans mes habitudes de décrier mes brus, mais il serait peut-être bon pour ces jeunesses d'apprendre qu'on ne confond pas cocos et abricots et de reconnaître qu'à l'évidence, les vieux canaris mitonnent les meilleures soupes.

Mais, garçon, je déparle comme une femme folle, en oubliant de te parler du principal :

Avant le début du match, ceux du Club Colonial ont entonné leur hymne, bientôt relayé par le nôtre et – est-ce bien utile de t'en informer ? – la première leçon qu'ils reçurent tout à l'heure ne fut pas une leçon de football, mais de chant.

Les goldénistes firent résonner haut et fort leurs accents martiaux, magnifiés par le texte parfois, hélas, incompréhensible, du parolier, dont j'ai heureusement conservé le livret original :

> Gloire au noble sport
> Au courage à la vaillance !
> Nous devons êt'forts
> Loyaux, courtois, par excellence
> Vive not' *Marseillaise*
> Not' jeunesse sportive pleine d'audace
> Phalange martiniquaise
> Clairons, sonnez dans l'espace !

Le match commença quasiment – ou peu s'en faut – à l'heure dite, dans une atmosphère à la fois tendue et enfiévrée.

Il n'aurait pu en être autrement car la dernière rencontre avait laissé en chacun une sorte d'amertume, ayant été sanctionnée par l'égalité, décision inique d'un arbitre inconséquent qui méritait sans nul doute qu'on lui frottât les oreilles.

Les premiers échanges ne laissèrent rien augurer de bien fameux : on eût dit que les joueurs retenaient leurs gestes, le pied hésitant et la foulée lourde.

Dans les tribunes, les spectateurs commencèrent à s'agiter. Des hommes vociférèrent et quelques femmes, agacées, s'éventèrent plus rapidement.

Assis au premier rang, Omer, notre entraîneur, rongeait son frein et ses ongles, s'épongeant fréquemment le front, geste qui traduit, chez lui, comme nous le savons tous, un sentiment d'intense inquiétude.

Bondissant subitement, comme mû par un ressort, il hurla d'une voix de stentor, à la grande fureur des deux juges de touche accrochés à leur règlement étriqué, un « Allez, Golden ! » qui eut pour effet de secouer les endormis, ceux des gradins comme ceux du terrain.

Une bonne moitié des supporters présents dans le stade reprit en chœur l'encouragement verbal.

Il n'est pas nécessaire de cacher, fils, que nous n'avons nullement dépensé nos salives pour rien. Ce sacré beau garçon de coolie (Charles-Albert ou Charles-Alfred, je ne sais plus) a bloqué net le tir du grand Chomet (tu vois qui ? L'arrière-droit !) et, tout en mine de rien, l'a contré par une subtile passe croisée vers le petit Dib qui a shooté – pardon, Seigneur – comme un vrai ange du Ciel et qui a marqué, Jacob, qui a marqué !

Le goal du Club Colonial a plongé et a mordu la poussière, transpercé par le ballon qui a filé sur sa droite, au ras du poteau.

– But ! hurla la foule goldéniste déchaînée tandis que les coloniaux, ulcérés, tapaient du pied en proférant des injures qui ne firent guère honneur à leur éducation.

Les nôtres, avec ensemble et dignité, entonnèrent alors le premier couplet, sans doute le plus obscur, de notre hymne :

Étoil' d'Or, Étoil' de nos rêves
Comme tu sais nous stimuler
En nos cœurs une ardente sève
De par toi s'est révélée
Notre foi de la voûte céleste
Te ravit puis te voilà
Sur nos bleus maillots et ce geste
Grandit notre apostolat...

Après ça, cher enfant, le gardien de leurs buts est resté comme ça, couché sur le ventre, tout penaud et j'avais presque honte pour lui, parce qu'on aurait dit qu'il allait se mettre à pleurnicher, un grand garçon comme lui !

Mais tu me connais : je ne suis pas femme à m'attendrir sur les malheurs du goal d'une équipe adverse. Je garde mes angoisses pour ceux du Golden Star.

Le temps que les bleus aient fini d'exprimer leur joie, l'avant-centre du Club en avait déjà profité : il traversait le terrain en dribblant à toute vitesse, effaçant toute la défense, comme s'il avait été seul au monde !

J'ai toujours su me tenir et je suis loin d'être une scandaleuse, mais il m'a bien fallu intervenir. Je me suis dressée d'un bond et, sans la moindre hésitation, j'ai crié de toutes mes forces (en bon créole, naturellement) :

– Milo ! Ho, Milo ! Ne laisse pas ce bougre-là te prendre par surprise ! Barre-le ! Barre-le, je te dis !

Je n'en mettrais pas ma main au feu, mais j'ai dans l'idée que Milo (qui était déjà, lorsque vous étiez enfants, ton bon camarade d'école et qui, aux premières communions, savait mieux que quiconque apprécier mon pain au beurre et mon chocolat à la vanille), j'ai dans l'idée, disais-je, qu'il m'a entendue !

Alors, écoute bien les paroles que je vais prononcer car chacun sait que dire et voir sont choses différentes et qu'il est plus facile de regarder que de relater :

Milo a accompli là, sous nos yeux, un exploit qui avait tout l'air – que je sois punie si je blasphème – d'un petit miracle : aussi rapide qu'un éclair, la boule l'avait dépassé et se déplaçait bien au-dessus de sa tête.

Sans vouloir me répéter, je te conjure d'ouvrir bien tes oreilles, car voici la description exacte du geste réalisé par ton ami Milo.

Milo qui, hier encore, n'était qu'un petit garçon gourmand, s'éleva dans les airs, comme propulsé par une force divine, tout comme ces anges qui ornent les vitraux de la cathédrale et, au mépris de toutes les lois de l'équilibre, fit effectuer à son corps une demi-rotation, projetant à la verticale son pied gauche (tu te souviens qu'il est gaucher ?) qui, étonnant prodige, vint stopper net l'élan ascensionnel du ballon, le renvoyant avec violence à plus de vingt mètres en arrière.

Cela fait, Milo se laissa retomber souplement, en un roulé-boulé non dénué d'élégance et les nôtres, électrisés par tant d'audace, entonnèrent le couplet le plus audacieux du compositeur inspiré de notre hymne :

> En avant, jeune Martinique
> Souciez-vous de vot'santé
> Accourez jeunes gens étiques
> Infirmes, cagneux, empâtés
> Pas de muscles en pâte de guimauve
> Ni de teint d'omelette au lard
> Soyez tous agiles comm'des fauves
> Crions viv' le Golden Star !

L'unanimité de notre enthousiasme devant le haut fait du héros dut atteindre au cœur le moral de l'adversaire, car son jeu, pendant le reste de la partie, devint aussi flottant que la fleur du cotonnier sous la bourrasque.

Ce n'est pas pour dire – on sait bien que je n'aime pas dénigrer – mais ceux du Club Colonial ne reculèrent devant aucune vilenie pour parvenir à nous mettre dans l'embarras : celui-ci fit mine de chuter sous l'effet d'un croche-pied imaginaire ; celui-là s'effondra au sol, prétextant une improbable poussade ; un autre, enfin, sentant confusément qu'il fallait avant tout attirer la pitié de l'assistance, en majeure partie masculine, poussa la mauvaise foi jusqu'à simuler un coup bas : il se plia en deux tout à fait comme si notre ailier gauche lui avait projeté son genou dans les génitoires, obtenant ainsi un coup franc parfaitement immérité.

Dieu soit loué, sa traîtrise n'obtint pas l'effet escompté : comme tu l'as dit un jour déjà lointain : « Le coup de Jarnac qui devait être celui du pied du Judas colonial ne fut qu'un coup d'épée dans l'eau ! » et une indéniable victoire vint sanctionner notre talent et leur absence de fair-play.

Tu aurais été fier de ton équipe, mon fils bien-aimé, si tu avais pu entendre les voix mêlées des joueurs et des supporters portant en triomphe, tout autour du terrain, la vedette du match, ton ami Milo en personne, en chantant – sans le moindre chauvinisme – la mélodie fétiche des sportifs haïtiens, nos frères, dont les paroles, si ma mémoire est bonne, disent à peu près ceci :

> Le football, c'est le sport idéal
> Le football, c'est le sport national
> Le football, c'est un sport d'association
> Entre les membres d'une même formation
> Il est beau et dans la concurrence
> Il vous assure une heureuse performance

Après la descente en pente douce vers la chapelle de la Vierge-des-Huit-Douleurs, illuminée par des myriades de « Clarté divine » – chandelles locales au nom publicitairement prédestiné –, le « Saint-Michel-Archange » embraye sur la route encore caillouteuse qui passe devant la maison hantée.

Nul, ici, n'ignore l'origine de la sinistre réputation du lieu car chacun garde encore en mémoire les sombres drames qui ont jadis – nous ne dirons pas ensanglanté, car pas une goutte de sang ne fut, sinon versée, du moins retrouvée – endeuillé les hauts murs entourés d'une froide galerie.

Bien que peu de gens se vantent d'y avoir pénétré, tout le monde vous dira que la bâtisse enferme des souvenirs tenaces, concrétisés par des rumeurs sourdes ou crissantes, comme autant de gémissements étouffés ou de chaînes traînées, par de courts mais violents séismes ultra-localisés, par des claquements de portes intempestifs, des cliquetis de clefs et des chutes d'objets d'origine inexpliquée.

La dernière habitante de la maison hantée avait

résolument fait fi de son aura diabolique, préférant ironiser sur l'ahurissante tendance à la superstition, si tenace en dépit des efforts séculaires de l'Église et de l'école, des nègres des bois alentour.

Madame De, comme on se plaisait à l'appeler, était une de ces grandes mulâtresses si claire de peau et si lisse de cheveux que seuls certains caractères soupçonneux pouvaient déceler, à l'aile frémissante du nez, au balancement contenu et à la cambrure de ses reins, à la platitude de ses pieds, aux brunes lunules de ses ongles, à l'implantation carnassière de ses larges dents blanches, son appartenance flagrante, bien que discrète, à la race de Cham.

Madame De était la fille de la bonne à tout faire d'un commerçant blanc, ventru et plutôt âgé qui avait cru bon d'utiliser les ultimes vestiges d'une virilité défaillante et de l'apparemment désuet droit de cuissage sur la personne de sa modeste employée dont la croupe charnue et la chaude carnation de capresse avaient su éveiller son intérêt.

Le hasard des métissages ancillaires fit que la petite Hermine, la bien nommée, hérita d'un teint de lys et de rose qui, s'il agréait fort à son père, ne tarda pas à irriter sa mère, lassée d'entendre les mulâtresses en capelines à fleurs de la bourgeoisie foyalaise lui demander – la prenant, à l'évidence, pour une simple « Da porteuse » – qui était l'heureuse mère du gracieux poupon.

Cette méprise, qui avait le don d'exaspérer la jeune mère, ne dura guère longtemps car, en dépit de sa solide constitution, elle fut emportée par une tragique épidémie de grippe espagnole, celle-là même qui avait rendu orphelin Gaston Évariste, le peu glorieux beau-père de l'ex-petite Cornélie Rumeur.

La disparition prématurée d'une mère dont le type physique signait l'origine projeta la petite Hermine si près de la caste privilégiée qu'elle crut sincèrement, dans la première partie de sa vie, en faire partie intrinsèque, aidée en cela par son teint préraphaélique et par une éducation particulièrement réactionnaire, dominée par les analyses obscurantistes d'un père cacochyme et passéiste.

Ce n'est qu'à la mort du riche vieillard que la ravissante et fortunée jeune fille au teint clair et aux manières modelées par ses enseignantes ursulines se rendit compte que, contrairement à ses plus chères aspirations, le statut de son père illégitime ne l'avait placée qu'à l'orée du Paradis.

La jeune beauté tomba de haut lorsque l'un de ses plus fervents admirateurs, dont le patronyme représentait sans conteste le plus beau fleuron de l'aristocratie insulaire, lui offrit sans rougir, au lieu de son nom et de sa main, l'humiliant statut de maîtresse-concubine, non sans lui proposer de gérer son confortable héritage.

Hermine pleura beaucoup et tenta d'échapper à son chagrin en abaissant le niveau de ses espérances.

Un moment, elle crut le bonheur proche : Albin Aymeri, un jeune homme au teint de la clarté requise, malgré son nom et sa fortune médiocre, lui proposa le mariage et la respectabilité. Il n'était pas mal fait de sa personne et, bien que son regard brûlant ait eu la faculté de faire rosir de langoureuse émotion le clair visage de la fiancée, il se montrait respectueux de ses pudeurs de communiante. Hélas, avant la date prévue pour les noces, la belle Hermine dut sortir à nouveau ses mouchoirs de baptiste brodés.

Le sort voulut que ce soit le vieux prêtre qui l'avait baptisée de ses propres mains qui dut lui infliger le coup fatal, ayant été instruit de la félonie du promis (escroc et bigame notoire à Panama), dans l'ombre propice de son confessionnal. Sans en trahir le secret, il fit, pour de fallacieuses raisons, reculer les noces imminentes, le temps pour lui d'entamer en pays étranger l'enquête qui devait lui apporter les preuves de la forfaiture.

Ce qu'il y eut de pire, c'est qu'une fois celle-ci révélée, le coupable, mis en présence de sa fiancée par le vieux prêtre, loin de manifester la moindre honte ni le moindre remords, étala sa perversité avec une incroyable morgue.

Mademoiselle De, ironisa-t-il lourdement, ne devait guère se permettre de jouer les difficiles, compte tenu du fait que sa propre mère était une négresse qui récurait à quatre pattes le plancher de son patron.

Ayant craché son venin, l'infâme Albin Aymeri tourna les talons et on ne le revit plus jamais dans les parages.

L'année suivante, Hermine apprit incidemment que, devenu récemment et fort à propos veuf de la Panaméenne, il venait de convoler en justes noces et en grandes pompes, à l'église du Morne-Rouge,

Notre-Dame-de-la-Délivrande elle-même, avec Berthe de La G., sœur aînée de son premier prétendant.

Berthe qui approchait alors de la quarantaine devait la tardive conservation de son statut de jeune fille, malgré son nom et sa fortune, à un physique totalement ingrat, à un caractère violent et chimérique, et à une langue des plus venimeuses !

C'est cette laissée-pour-compte à particule que le fringant Albin, qui n'avait que vingt-cinq ans, avait préférée à la gracieuse Hermine !

La rude leçon avait été profitable et la jeune fille qui approchait alors de sa vingt-deuxième année avait enfin compris que la noble caste ne lui pardonnerait jamais ses origines obscures.

Mais son aristocratique éducation avait creusé en son âme de profonds sillons de préjugés et il se passa ceci : loin d'en vouloir à la caste qui l'avait rejetée (mis à part cet arriviste d'Aymeri qui n'était rien d'autre qu'un aventurier enrichi), elle persista à en intégrer toutes les valeurs, tout à fait comme si elle en faisait encore partie.

Hermine devint alors l'un des thèmes favoris de la palabre foyalaise. Les analystes se séparaient en deux groupes : ceux qui la plaignaient et ceux qui la brocardaient.

Ceux qui habitaient à deux pas du canal Levassor ne manquèrent pas de rappeler que, si on en croit le proverbe, « dès que le mulâtre est sur un cheval, il oublie que sa mère est une négresse ».

Ceux qui logeaient plus près de la savane préféraient faire leurs choux gras d'une vieille anecdote jamais oubliée, celle qui avait mis en scène, bien avant l'éruption de la montagne Pelée, le grand béké Hubert de La M. et le riche mulâtre Hervé Dessouches :

Hervé était, en 1899, un beau jeune homme d'environ trente-cinq ans, qui avait hérité de son père naturel, un petit Blanc qui avait fait fortune, un florissant commerce de tonnellerie et de dames-jeannes dites d'Aubagne.

À Saint-Pierre-de-la-Martinique, à l'époque capitale de l'île et perle de la Caraïbe, les navires marchands se succédaient et le port pouvait, selon les dires, rivaliser avec ceux des grandes métropoles. Hervé, ayant quelque fortune et ne regardant pas à la dépense, n'eut aucune difficulté à s'introduire dans le cénacle des luxueux plaisirs, où, aidés en cela par de jeunes personnes au teint de couleurs variées mais à la vertu uniformément légère, les jeunes békés jetaient leur gourme et les vieux békés leurs pièces d'or.

Hervé, au sein de ce clinquant univers, fit la connaissance de Thibaut de La M., jeune béké qui avait environ son âge et qui gérait, pour le compte de son père, Hubert, le patriarche de Fonds-Saint-Denis, les riches terres à canne de la plantation « Brin d'Amour ».

Le mulâtre et le béké, nonobstant la traditionnelle opposition entre les planteurs et les commerçants, se lièrent d'une amitié solide mais partielle comme sont celles des hommes que rapprochent des affaires dépendantes et des plaisirs similaires.

À la messe du dimanche, Hervé eut l'honneur d'être présenté au patriarche, Hubert de La M., père de son ami, qui donnait le bras à sa fille, la délicieuse Aude de La M.

Jupiter rend-t-il fous ceux qu'il veut perdre ?

Certains esprits goguenards exhumèrent la chute d'un conte traditionnel créole à l'origine obscure :

« ... Le béké arriva le premier à l'invitation. Il choisit le plus gros sac. Il contenait de l'or.

"Tu as choisi la richesse", lui dit Bon-Dieu. Le mulâtre, sur son âne, arriva peu après et choisit le second sac qui était un peu moins lourd. Il contenait des livres.

"Tu as choisi l'instruction", lui dit Bon-Dieu.

Le nègre, enfin, arriva à pied, tout couvert de la poussière du chemin. Dans le dernier sac, il ne trouva qu'une houe... »

Pour être charitable, mettons la suite sur le compte de l'éblouissement du jeune homme dont, plus de cinquante années après, l'histoire fait encore rire aux larmes, tandis que grincent les dents.

Un beau matin de Pâques, Hervé Dessouches, teint clair, corps musclé, moustache parfumée et naturelle distinction, monta dans son rutilant tilbury, vêtu d'un impeccable costume gris perle, ganté, chapeauté et souplement chaussé de bottes en cuir gorge-de-pigeon.

Faisant fi du dicton créole qui conseille : « Sois bon ami avec le chien mais ne viens pas dormir dans son lit », il se rendit sans la moindre hésitation à l'habitation de Monsieur de La M., père de son ami

Thibaut et de la belle Aude et déclara à l'obséquieux portier noir qu'il sollicitait la grâce d'être reçu par le maître de maison.

Vingt minutes à peine après son arrivée, celui-ci pénétra dans le salon où Hervé l'attendait.

Extrêmement affable, bien que ce fût la première fois que le jeune homme se trouvât dans sa propre maison, le grand béké s'enquit tout d'abord de sa santé, puis, avec courtoisie, de ce qui l'amenait à Brin d'Amour.

Encouragé par la cordialité de son hôte, Hervé Dessouches s'expliqua : il avait l'honneur de demander à son père la main de sa fille Aude dont il s'était, dit-il, passionnément et respectueusement épris, l'ayant rencontrée à la messe.

Au cas où ses espérances seraient couronnées de succès, il s'engageait à mettre aux pieds de son épouse la vie de rêve à laquelle l'avait destinée son éclatante naissance, et il se flattait de posséder, pour ce faire, tout le bien nécessaire à la réalisation de sa promesse.

Confortablement installé dans un vaste fauteuil, les jambes croisées l'une sur l'autre, le vieux béké contemplait Hervé avec un léger sourire. Son pied droit se mouvait doucement dans les airs, comme accompagnant une légère musique audible de lui seul. Lorsque Hervé eut fini de parler, il décroisa lentement les jambes.

Un sourire aimable toujours posé sur son visage, il répondit avec bonhomie que Monsieur Dessouches faisait un très grand honneur à sa famille mais que la coutume était, chez les de La M., de ne jamais imposer un époux aux jeunes filles.

Elles avaient, de tout temps, toujours choisi librement leur conjoint.

Sans aucun doute, Monsieur Dessouches ne verrait aucun inconvénient à ce qu'il en soit, en cette circonstance, encore ainsi ?

Hervé salua avec émotion, claquant les talons sans vulgarité pour marquer son acceptation des conventions familiales usitées dans la grande famille. Hubert de La M., patriarche de l'habitation Brin d'Amour sise entre Saint-Pierre et Fonds-Saint-Denis, se leva calmement et ouvrit la porte du salon qui donnait sur le hall de vastes dimensions.

Un double escalier du plus joli effet permettait aux habitants du lieu d'accéder à leurs chambres à coucher, toutes situées à l'étage.

Immobile sur le pas de la porte, le grand béké, élevant son regard vers la porte fermée d'une des chambres du haut, appela d'une voix claironnante :

– Aude !

Une fraîche voix féminine, légèrement étouffée, en raison de la distance, lui répondit joyeusement :

– Oui, Papa ?

– Aude, ma fille, reprit Hubert de La M., tu veux épouser un mulâtre ?

La réponse tomba de l'étage, toujours gaie et sans la moindre hésitation :

– Non, Papa !

Hubert de La M. se retourna vers le jeune homme qui se tenait, plus mort que vif, debout derrière lui.

– Vous voyez, dit-il, elle ne veut pas...

« Mais, ajouta-t-il avec un bon sourire, tandis qu'il se dirigeait sans hâte vers le magnifique bar de mahogany, que cela ne nous empêche pas de déguster un petit punch !

Revenons à Hermine qui est à l'origine de cette longue digression.

Pendant les quinze années qui suivirent, devenue, dans l'imagerie populaire, Mademoiselle, puis Madame De, elle refusa un nombre incalculable de demandes en mariage.

La plupart d'entre elles provenaient de bourgeois mulâtres, aisés ou issus de la classe intermédiaire, mais toutes furent repoussées ou ignorées, non sans une certaine hauteur.

À la stupéfaction générale, vers sa trente-septième année, la toujours belle et sans doute vierge Hermine accepta d'épouser l'un de ses voisins qui s'était toujours morfondu d'amour pour elle sans jamais oser déclarer sa flamme, tant il était assuré du refus.

C'était en effet un homme sans instruction qui, grâce à une réelle intelligence mise au service d'un esprit d'entreprise évident, s'était petit à petit élevé dans la hiérarchie sociale dont le critère est – certains le regrettent et d'autres s'en félicitent – le niveau de fortune.

Du point de vue physique, Gabriel Valdor ne correspondait nullement aux canons esthétiques entérinés par Madame De et – en public, tout au moins – par la plupart des gens de l'« élite », à laquelle elle revendiquait son appartenance.

Certes, il n'était pas noir « comme hier soir », ce n'était ni un « congo », ni un « solex » et ses cheveux, bien que crépus, n'avaient pas la densité rêche de la paille de fer.

Mais ce n'était pas un mulâtre : c'était un nègre de couleur marron foncé que beaucoup jugeaient bel homme, avec ses hautes pommettes, son front large, sa bouche charnue et son corps à la fois élancé et musculeux.

Sa haute stature et sa réussite sociale n'étaient parvenues à le doter ni de l'assurance naturelle à ceux qui sont nés dans l'aisance ni de l'outrancière faconde acquise par les parvenus. Gabriel Valdor, lui, n'était audacieux qu'en affaires.

Dans la vie, c'était un homme doux et timide qui aurait aimé aller à l'école, voire même suivre des études supérieures, si le sort ne lui avait pas attribué un père absent et une mère qui fuyait sa solitude et sa misère dans l'alcool.

Parti de rien, éprouvant quelques difficultés à s'exprimer dans les hauteurs de la langue française, mais jonglant aisément avec les chiffres grâce à un sens inné de la comptabilité, Gabriel avait réussi à devenir l'un des plus importants revendeurs maraîchers du moment, pratiquant des prix à des taux non usuraires et entretenant avec ses employés des relations où la sympathie de classe dépassait nettement toute autre considération.

N'écrasant personne de sa supériorité pour l'excellente raison qu'il ne se sentait supérieur à personne, Gabriel Valdor était, à quarante ans, un homme à la fois aimé et respecté de son entourage professionnel, gauche et maladroit avec la gent féminine qui regrettait son absence d'initiatives.

Depuis des années, à l'insu de tous et de toutes, il entretenait avec une délectation morose une impossible passion pour sa voisine, la mulâtresse hautaine qu'on appelait Madame De.

Celle-ci n'avait pas tardé à se rendre compte des sentiments qu'elle avait inspirés à son robuste voisin, bien que celui-ci ne se soit jamais aventuré à lui déclarer sa flamme ni n'ait même tenté, par des œillades ou des attitudes, de la lui faire comprendre.

Les seules privautés que se permettait l'inlassable amoureux consistaient à frapper chez elle pour lui apporter, en bredouillant quelques politesses concernant le bon voisinage, des fruits ou des fleurs fraîchement cueillis ou des légumes-pays encore luisants de terre grasse, hommages alimentaires que Madame De acceptait avec un sourire un peu absent où flottait comme une légère trace de dédain.

Bien que fort discrète, cette manifestation éveillait chez Gabriel une émotion tout à fait disproportionnée et il avait souvent du mal à contenir les battements presque audibles de son cœur en chamade.

Un soir d'hivernage où la pluie torrentielle s'affalait avec la même violence sur le quartier résidentiel que sur les pauvres cases de l'Ermitage du contrebas, Gabriel, trempé jusqu'aux os, décida, en dépit de sa tenue négligée, de ne pas attendre le lendemain pour remettre à l'élue de son cœur l'énorme langouste encore agitée de soubresauts qu'une revendeuse reconnaissante pour un service rendu avait prélevée pour lui dans le canot de son marin-pêcheur d'époux.

L'énorme crustacé à la main, il frappa à l'huis de Madame De qui lui ouvrit, pâle et évanescente, l'ombre d'un sourire errant sur sa bouche jugée par elle trop charnue. Il bredouilla, comme à chaque fois qu'il était en sa présence, s'excusant de ne pouvoir entrer pour déposer son offrande dans l'office.

Madame De lui ayant annoncé successivement que la bonne était de sortie, qu'elle adorait la langouste mais se sentait incapable d'en tenir une vivante dans ses mains dénuées de poigne, et enfin qu'elle se moquait totalement de préserver l'aspect immaculé de son carrelage, force fut à Gabriel de la suivre vers la cuisine et, une fois dans les lieux, de proposer d'ébouillanter l'animal tressautant, ce qu'elle accepta avec une expression proche de la reconnaissance qui se posa comme un baume sur le cœur de l'homme épris.

Le voyant fort embarrassé, Madame De pria Gabriel d'enlever sa veste trempée qu'elle suggérait de mettre à sécher sur un cintre pendant l'opération culinaire.

Hésitant entre sa gêne profonde et son incapacité à lui refuser quoi que ce fût, Gabriel opta pour l'obéissance et ôta sa veste trempée, avant de se mettre au travail qui consistait à faire passer la dite langouste de vie à trépas.

Pendant qu'il officiait, sa gêne et sa maladive timidité furent mises à rude épreuve.

Accoudée à la table de la cuisine avec la nonchalance d'une chatte siamoise de haut pedigree, Madame De, tout en préparant une boisson chaude et revigorante qui fleurait bon la cannelle, le rhum et la pelure de citron vert, laissait – sans le moindre dédain, à ce qu'il lui parut – errer son regard sur le torse noir et musculeux, moulé dans une chemise rendue collante par son humidité.

Gabriel, à l'instar de sa victime carapaçonnée, sentit son corps s'embraser comme sous l'effet d'un violent bouillonnement.

Le brûlant du grog accentua encore la chaleur interne qui l'avait envahi. Madame De, semblant inquiète pour sa santé, lui conseilla de se rendre un instant chez lui, afin d'y prendre une bonne douche et de revêtir des vêtements secs avant de revenir partager avec elle la fricassée de langouste qu'elle se ferait un plaisir de cuisiner.

N'en croyant pas ses oreilles, Gabriel obtempéra. Il revint propre comme un sou neuf, rasé et costumé de frais au moment précis où cessait l'averse, portant cérémonieusement une bouteille de champagne millésimé dans un seau en argent empli de glaçons tintinnabulants.

La soirée qui suivit resta, au moins dans deux mémoires, inoubliable.

La langouste fut divine et le champagne frappé.

Gabriel, redoutant de faire une faute de français, parla le moins possible, tétanisé par l'angoisse qui, pour lui, demeurait étroitement liée à l'émoi amoureux. Hermine parla beaucoup d'une voix doucereuse qui semblait vaincre l'amertume, mais elle ne révéla pas grand-chose.

Quoi qu'il en fût, le petit matin saisit, au travers des persiennes, l'image d'un Gabriel Valdor partagé entre le bonheur et l'inquiétude et d'une Madame De, plus évanescente que jamais, sa chevelure enfin éparse oublieuse des peignes et des épingles, répandue sur la poitrine virile de celui pour lequel elle avait, pour cause d'hivernage, de langouste, de champagne et – il faut bien l'avouer – de chemise collée à la peau, renoncé à une déjà ancienne virginité ; tandis que Gabriel, honteux de ses silences et de ses audaces, tentait de s'extirper du lit orné de dentelles et de délices de Madame De, il fut immobilisé par une voix dont la ferme douceur n'excluait pas une certaine sensualité :

– Gabriel, voulez-vous m'épouser ?

Gabriel Valdor fut saisi d'une sorte d'éblouissement, au double sens du terme, à savoir qu'il ressentit une fulgurante illumination qui lui brouilla quelque peu la vue, pendant un court instant, avant de se transformer en onde de choc qui lui percuta violemment le plexus solaire, le mettant pour ainsi dire knock-out et le laissant vacillant, au bord de l'évanouissement.

Les mots s'étranglèrent sur ses lèvres :

– Je n'oserai jamais espérer...

– On ne vous demande pas d'espérer, mon ami ; on vous demande d'épouser, qu'en pensez-vous ?

Telle fut la lapidaire réponse de Madame De,

nonchalamment étendue et appuyée sur un coude, dans une posture aussi gracieuse qu'étudiée.

– J'épouse ! J'épouse et je vous aime... ! répondit, éperdu, Gabriel, avant de se précipiter hors du lit, enveloppé par pudeur dans un drap brodé, afin de masquer à la fois sa virilité et ses larmes.

Cette fuite désordonnée eut au moins une conséquence dont l'importance ne saurait être minimisée : elle empêcha d'entendre la réponse à son cri d'amour, prononcée par une bouche au féminin et aristocratique sourire :

– On ne vous en demande pas tant...

Le mariage eut lieu très vite et sans tapage. Aucune festivité ne vint – à l'exception d'un très simple vin d'honneur où ne parurent que quelques rares employés de Gabriel, pétrifiés de timidité – souligner l'événement.

Madame De, que jamais personne ne put appeler Madame Valdor, se montra, à cette occasion, aussi lointaine qu'une apparition et aussi marmoréenne qu'une statue d'église.

Son éternel et énigmatique rictus ne manqua pas d'impressionner la trop simple assistance qui se retira tôt, ayant soigneusement évité tant les goinfreries, les plaisanteries salaces et les rires gras, que les vœux sincères, les échanges de baisers ou de regards mouillés et les chants de grâce.

Une fois la porte refermée sur le nouveau couple, le mystère se mit à planer sur la maison bourgeoise de Madame De qui avait préféré rester dans ses meubles, le titre de bureau ayant été conféré à la demeure plus ordinaire de l'ancien célibataire.

Malgré l'intense intérêt provoqué, dans les quartiers avoisinants, par leur intimité, nul ne sut jamais ce qui se passait entre Hermine et Gabriel, la première demeurant cachée derrière la grimace méprisante qu'on avait longtemps cru être un sourire et le second se cantonnant chaque jour davantage dans son quant-à-soi.

Sans doute la flambée des sens qui avait été – du moins à ce que l'on disait – à l'origine de la mise en demeure de Madame De fut-elle aussi brève qu'un crépuscule antillais, à moins que le désir d'avoir, une fois au moins, été femme mariée l'ait emporté un temps sur toute autre considération, car personne ne put se vanter d'avoir vu Madame De manifester quelque sentiment que ce soit à l'égard de son mari.

Au début de leur union, lorsque Gabriel, homme volontiers taciturne, essayait encore de communiquer avec elle, celle-ci avait tendance à interrompre ses maigres tentatives d'expression par un coupant : « Voyons, mon ami ! » qui le laissait pantois, envahi par un dévorant sentiment de culpabilité, tenaillé par la crainte de l'impair linguistique et hanté par l'angoisse du barbarisme ou du solécisme dans la langue de l'« Élite » qu'il n'avait jamais dominée que superficiellement. Gabriel s'infligea alors une ultime punition :

Il s'interdit de créole, forme d'expression jugée déplacée dans son nouvel environnement et s'enferma dans un semi-silence renfrogné qui devait durer presque jusqu'à sa dernière heure.

Mais que, malgré les apparences, on ne tombe pas dans le piège du rapprochement abusif entre le mutisme pour ainsi dire physiologique du sinistre Gaston Évariste et le laconisme imposé, subi à son corps défendant par Gabriel, victime expiatoire. Contrairement à ce que répètent certains, de bien diverses causes produisent les mêmes effets.

Gabriel Valdor trouva-t-il une forme de bonheur dans la relation non verbalisée qu'il entretint avec son épouse pendant près de vingt ans ?

La réponse à cette pertinente question est vraisemblablement contenue dans l'anecdote qui va suivre.

Peu avant la mort de Gabriel Valdor, Géraud Philoctète, l'un de ses plus anciens amis, campagnard et conteur, fort peu reçu dans l'élitiste résidence de Madame De, vint, malgré les grands airs de l'épouse, s'installer à son chevet, les pieds ostensiblement nus et le chapeau de paille grossière vigoureusement scellé au crâne, dans la ferme intention de tirer un conte. En cette occasion, Géraud se passa non seulement des habituels acolytes, mais aussi des indispensables répondeurs.

Ulcérée par cette intrusion qui prenait des allures de coup de force tardif, pour ne pas dire final, Madame De, installant ses derniers bastions, s'assit, ombre fantomatique, au pied du lit de son époux, afin de ne rien ignorer de l'ultime récit.

Sans se démonter une seconde, ni sous le regard hautain de la future veuve, ni sous l'œil mi-clos du moribond, le donneur de contes entama, à l'aide d'un créole totalement dénué de complexes, le récit suivant, resté dans la mémoire commune sous le titre de : « L'homme qui comprenait le langage des animaux. »

Vous savez sans doute, Messieurs et Dames, que les gens des temps lointains épousaient n'importe qui et sans le moindre discernement.

C'est ainsi que se produisit le mariage d'un vieux paysan nommé Kako et d'une belle princesse. Il passa les premiers temps de leur union à louer sa beauté mais les compliments ne nourrissaient pas plus les femmes que les hommes et le vieux paysan vit qu'il était pauvre, bien pauvre pour une princesse qui était habituée à vivre dans un château avec un lot de serviteurs prêts à accéder au moindre de ses désirs.

Il dit à sa jeune femme qui était enceinte qu'il partait en voyage pour tenter de faire fortune parce qu'il n'en pouvait plus d'avoir honte en regardant la vieille petite case dans laquelle il l'obligeait à vivre.

Il partit et marcha, marcha, marcha. Lorsque ses vieux pieds furent usés, Messieurs et Dames, il marcha sur les genoux...

Un jour, il arriva dans une province. Le major de ce pays était un géant, un papa-diable qui parvenait à dévorer même l'odeur de ses victimes.

À force de marcher, notre homme arriva à une croisée de chemins où il y avait une petite mare entourée de halliers.

Il vit que des gens se baignaient dans la mare et se cacha dans les halliers pour les épier : c'étaient trois enfants, hauts comme des arbres, les trois fils du géant Grand-Gallion. Ils avaient ôté leurs vêtements qu'ils avaient laissés sur le bord de la mare et se baignaient tout nus.

Le paysan vit les vêtements des trois petits diables, les mit dans son sac et retourna en arrière avant de rebrousser chemin vers la croisée, comme s'il arrivait à la mare pour la première fois.

Lorsqu'il fut près des halliers, il vit les trois diablotins qui pleuraient de toutes leurs forces et leur dit :

– Eh bien, garçons, que vous arrive-t-il ?

Ils lui firent en réponse :

– C'est sans doute un voleur qui a pris notre linge pendant que nous nous baignions ! Notre père ne rigole pas et il va nous flanquer une de ces volées, si nous rentrons tout nus !

Le vieux paysan éclata de rire :

– Ne vous inquiétez pas, marmaille ! Avant d'arriver ici, j'ai rencontré sur mon chemin votre voleur qui s'enfuyait. J'ai vu tout de suite que ce bougre-là n'était pas catholique et je lui ai appris à vivre avant de reprendre vos vêtements. Les voici !

Et il leur lança leurs vêtements.

Les petits diables furent si contents qu'ils l'invitèrent, pour le remercier, à venir passer la nuit au château de leur père, le géant Grand-Gallion. Une seule chose : ils lui conseillèrent de ne jamais rester dans le sens du vent car Grand-Gallion était un bougre capable de dévorer les gens à l'odeur.

En chemin vers le château, ils lui expliquèrent aussi qu'en remerciement, leur père lui proposerait un sac d'argent, puis un sac d'or, et qu'il lui faudrait refuser les deux, pour n'accepter que le troisième don, sinon le géant le mangerait comme il avait mangé, jusque-là, tous ses hôtes.

À la vue de Grand-Gallion, notre homme se mit à trembler comme un manicou égaré. Le bougre était haut comme la cathédrale et ses dents étaient taillées en pointe !

Mais il n'avait rien d'un capon et il fit exactement ce que les petits diables lui avaient expliqué : il resta à contre-vent et refusa l'or et l'argent que lui offrit le père.

Grand-Gallion devint bleu de stupéfaction.

– C'est la première fois, dit-il, que je rencontre un bougre qui ne veut pas devenir riche.

Le paysan lui fit en réponse :

– Je suis un homme de bien et je n'ai pas agi pour de l'argent. Je ne suis pas de ceux qui affirment que « rendre service donne mal au dos » !

– Eh bien, l'homme, reprit le géant, tu as gagné ! Tu vivras et tu auras le don de comprendre le langage des animaux ! Et maintenant, disparais avant que l'envie ne me prenne de changer d'avis !

Notre homme ne se fit pas prier, il se leva sans même prendre la peine de saluer la compagnie et partit. Il rentra chez lui où l'attendait sa femme... Il marcha, marcha, marcha... Il arriva dans une savane... Au milieu de la savane, il y avait un énorme fromager et, posé sur les branches de l'arbre, il y avait un nid de sucriers.

Dans le nid, le mâle et la femelle étaient en grande conversation :

– Quand je pense, disait le mâle, qu'il y a plus de cent ans que la jarre d'or est enterrée sous la grosse roche, près du fromager, et qu'aucun homme ne l'a jamais découverte !

– Ça n'est pas notre affaire, répondit la femelle. Nous-mêmes là, nous n'avons pas besoin d'or. Nous buvons à satiété à chaque fois que le Bon Dieu fait tomber la pluie !

Le paysan entend le chant des oiseaux ; il comprend leur langage, Messieurs et Dames ! Il ne fit ni une ni deux, il se mit à creuser sous la grosse roche. Il creusa, creusa et trouva, en vérité, une grosse jarre pleine de pièces d'or.

Le bougre reprend sa route. Il retourne chez lui, le cœur plein d'allégresse.

Au prochain bourg, il achète toutes sortes de belles choses pour sa femme : robes, souliers, chapeaux, lotions ... deux malles pour y ranger ses achats et deux chevaux pour porter les malles.

Enfin, il arriva chez lui. Sa femme fut si contente de sa nouvelle fortune qu'elle l'embrassa, le cajola et le caressa pendant huit jours.

Notre homme est tellement heureux qu'il ne sait même plus s'il rêve ou s'il vit.

Mais, comme on dit, après la veine, c'est la déveine.

Un jour, Madame se sentit envahie par une irrésistible envie de femme enceinte. Elle dit à son mari qu'elle aimerait faire une petite promenade à cheval. Il eut beau lui dire que cela ne lui paraissait pas trop raisonnable, dans son état, cela ne servit à rien. Elle insista tant qu'il finit par céder parce qu'il aimait cette femme autant que le colibri aime la fleur d'hibiscus. Il sella son cheval, un étalon noir, puis la jument baie de sa femme qui était, tout comme celle-ci, en état de grossesse avancée.

Maîtres et montures empruntèrent au pas la route en lacets et plutôt escarpée qui contournait le morne au flanc duquel se trouvait leur case. Dépassant la cavale d'une foulée souple, l'étalon parvint le premier au sommet de la hauteur puis, se retournant vers elle, hennit brièvement.

Celle-ci, trottant plus sereinement, lança en direction du gagnant un hennissement plus long et plus appuyé.

Le paysan comprit sur-le-champ le sens de leur échange vocal.

Le cheval s'était moqueusement esclaffé :

– Avancez donc, paresseuse, avait-il crié à la retardataire qui, vexée, n'avait pas tardé à le rejoindre.

– Peut-être suis-je, en effet, paresseuse, mais je vous fais remarquer que vous êtes à deux alors que je suis à quatre !

L'homme, ayant compris le langage des animaux, se mit à rire de bon cœur.

Sa femme l'interrogea :

– Peut-on savoir ce qui te fait rire ?

L'homme, toujours riant, refusa de répondre en secouant la tête.

Ce geste ne fit qu'éveiller la curiosité de sa femme

qui réitéra sa demande. Elle voulait savoir ce qui avait occasionné cet éclat de rire intempestif.

– Est-ce qu'une femme portant en son sein l'enfant d'un ingrat était tellement ridicule ?

Se souvenant de ce qu'il risquait en révélant le don de Grand-Gallion, notre homme lui expliqua qu'il lui était impossible de lui donner l'origine de son hilarité, mais cette réponse fut loin d'être suffisante.

Ils avaient déjà regagné leur maison depuis plusieurs heures que la femme babillait toujours :

– Je veux savoir pourquoi tu as ri ! Tu n'as pas besoin de rire si je ne sais pas ce qui te fait rire !

Messieurs et Dames, à partir de cette fatale promenade, Kako ne connut plus un instant de tranquillité.

De jour comme de nuit, il était harcelé par la voix criarde de son épouse, exigeant de savoir le comment et le pourquoi de son rire.

Messieurs et Dames, vous savez que le dernier endroit d'où un homme maigrit, c'est de la tête. Au bout de quelques semaines de ce traitement, notre homme est devenu maigre des cheveux.

À chaque minute, sa femme l'interroge, sans relâche, sans le laisser respirer, sans respirer elle-même :

– Qu'est-ce qui t'a fait rire ? Je veux savoir pourquoi tu as ri ! L'enfant que je porte mourra si sa mère ne sait pas pourquoi son père a ri !

Kako n'a plus désormais que la peau sur les os. Il n'a pas dormi depuis je ne sais combien de jours et il se trouve contraint d'avouer la cause de son silence à sa bien-aimée princesse.

– Si je t'avoue pourquoi j'ai ri, je serai mort avant même d'avoir ouvert la bouche, car j'ai promis le secret à un gros diable !

– Tout ce qui m'intéresse, dit la belle princesse, c'est de savoir pourquoi tu as ri. Le reste ne me concerne pas le moins du monde !

Le paysan amoureux se résout à la mort.

– Bon, dit-il à sa femme, puisque tu m'aimes tellement fort, je puis mourir sur-le-champ ! Sortons de la maison et allons dans la savane. Dans ton état, il te sera difficile de me traîner dehors : les cadavres pèsent lourd !

Il a à peine fini de parler que sa femme est déjà dehors, la pioche à la main.

Lorsqu'ils furent arrivés dans la savane, elle ne fit ni une ni deux, elle se mit à fouir le sol à l'aide du madjoumbé. Le bougre comprit ce que cela signifiait.

Il lui dit :

– Ne te donne pas la peine de creuser ma tombe. J'ai encore la force de faire ce travail tout seul.

Pendant qu'il creuse sa tombe, la femme tourne autour de lui, rongée d'impatience et de curiosité. Elle veut savoir la raison pour laquelle il a ri !

Lorsqu'il eut fini, Kako se redressa, les reins endoloris. Il dit :

– Je vais mourir, à l'instant même. Mais tu vas savoir pourquoi j'ai ri... !

Pendant qu'il se recueillait sur le bord de la fosse qui allait hériter de sa pauvre dépouille, il se remémorait les paroles désespérées de la biguine qui porte le même nom que la femme sans aveu qui en fut l'inspiratrice :

Marie-Clémence, modi
Tout bagay-ou modi
Kanari-ou modi
Makadam-ou modi
Woy, laghé mwin
Man kay néyé kô mwin...

Marie-Clémence, maudite
Tout ce que tu touches est maudit
Ta nourriture est maudite
Ta cuisine est maudite
Oh ! Lâchez-moi
Laissez-moi aller me noyer...

La princesse répondit :

– Allons vite ! Je n'ai pas de temps à perdre !

C'est alors qu'un coq chanta : « Kokiyoko ! »

L'homme tendit l'oreille. Il comprit ce que disait le chant. Le coq disait :

– Quel imbécile que mon maître ! Moi, j'ai dix poulettes. Lorsque j'attrape un ver de terre, je les appelle. Toutes se mettent à caqueter pour être celle à laquelle j'offrirai le ver. J'avale le ver et je leur flanque à toutes une bonne volée pour leur apprendre à élever la voix en ma présence ! Et voilà cet homme-là qui n'a qu'une seule femme caquetante et qui est prêt à mourir pour la contenter !

D'un seul coup, Kako comprit la leçon : il saisit à nouveau le madjoumbé et se mit à rouer sa femme de coups de manche. Après ça, ils vécurent très heureux jusqu'à leurs derniers jours !

Le conte terminé, Géraud retomba aussitôt dans le silence. Madame De, ulcérée, se leva et quitta la chambre, sans un regard pour le moribond, ni pour le narrateur. Gabriel entrouvrit lentement ses paupières alourdies, laissant filtrer un bref regard malicieux, avant d'exhaler, en un dernier souffle, ses ultimes paroles : « Trop tard ! »

Ce n'est qu'à la suite du décès de son époux, feu Gabriel Valdor, que Madame De, exaspérée par la silencieuse réprobation des petites gens du bas-quartier, vint se réfugier dans la soi-disant maison hantée, qu'elle avait pu, en raison des diableries que le commun lui attribuait, acheter pour une bouchée de pain.

Le conte et la réalité se sont toujours, ici plus qu'ailleurs, trouvés étroitement mêlés. Il n'y a donc pas lieu de s'étonner si la tradition fourmille de tant de récits de trésors enfouis et si l'un d'eux est à l'origine de la réputation et du surnom de la sinistre demeure.

Si tous les passagers se signent plus ou moins ouvertement, si le chauffeur lui-même, qui se veut un esprit éclairé, marmonne, en traversant ce lieu-dit, un lambeau de prière oubliée, c'est que tout un chacun garde enfouie aux tréfonds de sa mémoire la scène qui s'est déroulée à deux pas d'ici, en un siècle fort heureusement éloigné, scène où l'or joue, tout comme dans le récit au conteur inspiré, son éternel rôle maléfique.

L'hiver

Nous n'avons guère à regretter l'absence locale des rigueurs saisonnières, bien que le terme « hiver » demeure ici strictement réservé à la dénomination de la dernière phase du quadrille martiniquais. Nous nous flattons de posséder, nous aussi, une saison pluvieuse propre à engendrer le spleen, à permettre de regarder l'avenir avec méfiance et le passé avec rancœur. Conscients du fait que les sentiments de désespérance existentielle sont nécessaires à la haute idée que l'homme se fait de lui-même, nous nous défions du stéréotype qui nous présente abusivement comme des êtres gais et fantasques, toujours prêts, tels de grands enfants, à rire et à danser. Plus que bien d'autres mais loin des regards, et ce par simple pudeur, nous sommes soumis aux rudes lois de la délectation morbide. Traduite, selon les cas, par les sanglots du blues ou par l'image peu réjouissante des danseurs de l'hiver du quadrille s'éloignant l'un de l'autre, secoués de déhanchements saccadés, le regard atone et la bouche déformée par un léger rictus de dédain. Un parfum de fin du jour hante l'air bleuissant de l'hivernage et les notes, froides comme des grêlons, s'échappent de la caisse de résonance d'un accordéon funèbre.

Le 13 octobre 1842, une âme égarée au sein de la nuit déjà avancée aurait pu assister à une scène fort insolite :

Au loin, les brillantes lumières de l'habitation et les lumignons de la rue Case-Nègre se sont, l'un après l'autre, éteints.

Sous un imposant fromager, deux hommes, un Blanc et un Noir, se livrent à un étrange manège.

L'homme noir est visiblement un esclave : il porte, pour tout vêtement, le sommaire – et réglementaire – pantalon rayé imposé par le paragraphe du code servile consacré à l'habillement des Noirs.

Il est occupé à creuser un énorme trou dans la terre, à l'aide de la houe grossière qu'on nomme « madjoumbé ». La lune qui émerge d'un nuage fait briller sa poitrine, inondée par la sueur de l'effort. L'homme noir travaille, sans une plainte, sous le regard impérieux de l'homme blanc entre deux âges et à la stature massive.

Il est confortablement installé sur un pliant de toile et de bois, vêtu comme le sont les békés campagnards de l'époque : chapeau de paille, hautes bottes et fusil en bandoulière.

Il fume une longue pipe de fabrication locale et s'interrompt de temps à autre pour porter à sa bouche une bouteille plate qui contient, à l'évidence, du tafia, avant de la ranger soigneusement dans sa poche.

Une grande dame-jeanne de verre est posée à côté de lui.

Les deux hommes ont chaud. Celui qui travaille n'est pas celui qui transpire le plus. La nuit est saturée de moiteurs et le béké s'éponge fréquemment le front.

Ses gestes de plus en plus saccadés trahissent son impatience croissante. Il rabroue l'esclave qu'il accuse de ralentir volontairement l'exécution de sa tâche.

L'autre reste impavide, se contentant de lui jeter un sombre regard, sans interrompre son labeur.

Jugeant enfin l'excavation assez profonde, l'homme blanc intime à son nègre l'ordre de sortir du trou dans lequel il propulse la jarre d'un coup de botte rageur qui révèle son ébriété naissante.

Sous la violence du coup, le verre se fissure et le regard des deux hommes se fixe sur les objets ronds et brillants qui s'en échappent : des pièces d'or !

L'œil de l'esclave se met, lui aussi, à briller, sous l'effet de la convoitise propre à ceux qui n'ont jamais rien possédé.

Pour son malheur, cette lueur a été perçue par son maître et lorsque enfin l'homme noir se détourne, il voit, braquée sur lui, l'arme menaçante et comprend, à l'expression glacée de celui qui la porte, qu'il n'a plus que quelques secondes à vivre.

Jouant son va-tout et profitant de l'effet de surprise, l'esclave bondit avec la rapidité du désespoir.

Il se jette sur le béké qui, déséquilibré par la violence de l'attaque, tombe lourdement, l'entraînant dans sa chute. Les deux hommes roulent sur le sol, s'étreignent dans une lutte mortelle.

Un peu plus loin gît le fusil qui a échappé au maître.

Les mains de l'homme noir enserrent violemment le cou de l'homme blanc dont la peau prend une teinte violacée tandis que ses yeux, exorbités, commencent à se voiler.

Presque étranglé, dans un ultime sursaut de révolte contre une mort imminente, il réussit à dégager une courte machette de la gaine accrochée à sa ceinture.

L'arme acérée se plante dans le dos de l'esclave qui s'arc-boute, relâchant son étreinte.

Le maître en profite pour lui transpercer le cœur d'un coup de coutelas définitif.

L'homme noir, ensanglanté, s'effondre dans le trou béant qu'il a creusé de ses propres mains.

Avant même d'en avoir touché le fond, il a poussé son ultime soupir.

La lune qui émerge à nouveau éclaire son cadavre gisant au milieu des pièces d'or échappées de la jarre brisée, comme dans un somptueux et dérisoire tombeau.

Le lendemain, aux premières lueurs de l'aube, deux esclaves des champs de l'habitation Bellegarde, Congo et Horace, dit « Ti-Nèg », chargés par le gérer de ramasser du petit bois sec et d'en confectionner des fagots, revenaient, lourdement chargés, vers le domaine.

Ti-Nèg, le plus jeune, remâchait une rancœur déjà ancienne, impitoyablement attisée par l'humour glacé de Congo, nègre sarcastique d'une cinquantaine d'années qui prenait un évident et malsain plaisir à rappeler à son compagnon ses dernières volées de chicotte.

On aurait juré que ce satané géreur nourrissait contre Horace une sorte d'animosité personnelle.

Non content de l'avoir affublé, tout enfant encore, de l'infamant sobriquet de Ti-Nèg qui lui était hélas resté, il ne lui épargnait ni les injures ni les horions.

– Un de ces jours, grimaça-t-il, je lui ferai avaler le manche de son fouet pour lui rentrer dans le corps tout son lot de malfaisance, à ce singe roux !

– C'est tout ce qu'il y a de plus certain, mon

bougre ! ricana l'autre. Tu lui feras ça le jour où les nègres seront libres et les Blancs en servage !

Percevant le persiflage sous l'ironie, Ti-Nèg donna rageusement du pied dans une motte de terre meuble qui s'effrita, révélant un objet à la forme étrange qui attira immédiatement l'attention des deux esclaves.

Tandis qu'ils le contemplaient, une expression de dégoût envahissait peu à peu leur visage : ce qui gisait à leurs pieds n'était autre qu'une main. Une main recroquevillée. Une main d'homme !

– Une main coupée, une main noire ! s'écria Ti-Nèg, le cœur au bord des lèvres.

Congo, non sans aigreur, lui fit remarquer que cette main ne pouvait être que noire, puisque aussi bien on n'avait jamais entendu parler d'un Blanc condamné à avoir la main tranchée, fût-il le pire des voleurs.

Ti-Nèg, un instant décontenancé, fut le premier à apercevoir, au creux de la paume blême de la main noire, incurvée en forme de serre, une étincelle lumineuse. Dominant sa répulsion, il tenta d'en forcer l'ouverture à l'aide de son bâton.

Aussitôt, ses yeux s'arrondirent de stupéfaction, entraînant le regard de l'aîné : il y avait là une pièce d'or rutilante.

– Sorcellerie ! C'est un quimbois ! hurla Ti-Nèg terrifié.

Congo le toisa, méprisant :

– Ne me dis pas que tu ne connais pas le tarif ! Une fuite : jarret tranché ! Un vol : poignet tranché !

Le maître a dû le prendre en flagrant délit. Il lui a coupé la main et a oublié la pièce !

– Alors, reprit Ti-Nèg rayonnant, la pièce est à moi !

– Elle est à nous ! répliqua sobrement Congo.

– Mais c'est moi qui l'ai trouvée ! larmoya le cadet.

Congo entreprit de le tancer d'importance, affirmant que sa nature grossière et superstitieuse l'ayant préalablement conduit à taxer de sorcellerie un phénomène sinon naturel, du moins habituel, dans nos contrées, il allait de soi que, s'il eût été seul, loin de la rassurante présence de son aîné, il eût bredouillé une vague incantation à quelque saint obscur avant de pisser – sauf votre respect – autour de l'objet délictueux, pour en écarter le mauvais sort.

Certes, lui, Congo, croyait à la magie. Mais à la vraie magie : celle des nègres. Dans ce cas précis, il ne s'agissait que de cruauté et d'exaction.

Transporté par son propre talent oratoire, Congo adjura Ogun, que d'aucuns préféraient – Dieu sait pourquoi – appeler saint Michel, de terrasser l'affreux démon de l'esclavage.

Au loin, dans le sous-bois, le rauque aboiement d'un chien et le sourd galop d'un cheval se firent entendre, interrompant la palabre de l'orateur improvisé.

D'un habile coup de coutelas, Congo projeta la main et son contenu dans le sac en toile de Ti-Nèg avant de lui enjoindre, mezza voce, de le suivre dans sa fuite.

Emportant leur macabre découverte, les deux esclaves, en un clin d'œil, se perdirent dans les halliers.

Quelques jours après, Da Nini, la vieille servante de l'habitation, montait péniblement, comme tous les matins, les marches de l'escalier qui menait à la chambre du vieil Eudes de Bellegarde.

Devant la porte de son maître, Da Nini déposa son plateau sur un guéridon placé là à cet effet et prit le temps de rectifier son madras et de lisser son tablier avant de frapper deux coups brefs à la porte.

Sans attendre de réponse, selon un rituel coutumier, elle pénétra dans la chambre du patriarche.

Ayant déposé son fardeau sur la table de nuit, elle écarta largement les battants de la fenêtre ornée de persiennes, faisant pénétrer dans la pièce un flot de soleil matinal accompagné d'une bouffée d'air frais et de chants d'oiseaux, puis elle entrouvrit la moustiquaire qui encadrait la haute couche de mahogany sculpté en murmurant :

– Bonjour, Monsieur Eudes. C'est l'heure...

Les yeux de la vieille nourrice s'écarquillèrent, envahis d'horreur. Un cri étranglé jaillit de sa poitrine : le vieil Eudes de Bellegarde, aussi blanc que ses draps de fine percale, était étendu, membres disloqués, en travers de son lit.

Sur sa gorge, des marques sombres et profondes trahissaient une évidente strangulation. Sa main blême et décharnée était recroquevillée sur une pièce d'or étincelante.

La sinistre légende de la Main noire pouvait désormais prendre son envol.

Peu après, les phénomènes étranges qui devaient donner son nom à la lugubre demeure débutèrent, avant de s'amplifier définitivement.

Il ne faudrait pas, cependant, que les non-initiés puissent penser que tous les incidents relatifs au magique antillais soient aussi douloureux et sanglants que celui-là : pourrait en témoigner le maigre chabin d'une soixantaine d'années qui est vautré tout au fond de l'autobus local, ses longues jambes dépliées devant lui, avec la désinvolture qui lui permet, malgré la retraite proche, de conserver intacte son image de marque : celle du mauvais garçon accompli.

Ton Tilou n'a, en effet, jamais pratiqué le moindre métier, se contentant sans états d'âme de vivre aux crochets de sa vieille mère, brave lavandière heureusement dotée d'une santé de fer et qui, jusqu'au jour d'aujourd'hui, lui a toujours assuré le manger, le boire et le dormir.

Il a le teint blafard et tiqueté de minuscules taches de rousseur ; ses cheveux jaunes sont crépus et son œil borgne, souvenir d'une rixe ancienne, ne manque pas de lui donner, selon les angles de vision, l'air sournois ou affecté.

Mâchonnant sa Mélia éteinte comme s'il s'agissait

d'une chique, il fredonne distraitement l'antique biguine qui fait allusion à la singulière promenade d'un crapaud du sexe féminin juché sur une bicyclette. « Pitong, pitong », cliquette l'avertisseur imaginaire du deux-roues qui rappelle qu'on a tout intérêt à éviter de lapider le moindre batracien, lorsque sa propre mère semble dotée d'une fâcheuse tendance à emprunter, de nuit, diverses formes animales disgracieuses, dans le but évident de nuire à son prochain tout en scellant un pacte coupable avec le Malin.

Ton Tilou n'a rien d'une poule mouillée : c'est un mécréant ordinaire qui ignore simultanément les peurs des vieilles dames et les superstitions des gamines impubères.

Il est bien loin de porter le moindre crédit à toutes ces histoires de diaboliques métamorphoses, faisant intervenir les boules de feu, les chevaux à trois pattes, les bœufs sans cornes et autres oiseaux parleurs !

Comme la plupart des esprits forts qui se targuent de ne craindre ni Dieu ni Diable, il a ri, tout enfant encore, en écoutant le conte qui relate comment Ti-Jean a pu se débarrasser de sa vieille sorcière de marraine qui le séquestrait avant de pouvoir le dévorer, une nuit où, comme d'habitude, elle avait soigneusement rangé sur un cintre sa peau humaine pour se transformer en lugubre soukougnan, ailes torses, bec crochu, pattes grêles et voix croassante, avant de s'envoler en planant au-dessus des cases plongées dans les ténèbres.

Dès que l'oiseau maléfique eut disparu, Ti-Jean se

précipita sur la peau abandonnée et en enduisit soigneusement la partie interne d'une pimentade particulièrement corsée.

Laissons à l'auditoire le loisir d'imaginer la partie la plus désopilante du récit, celle qui fait la joie des bambins, au moment où l'engagée au démon enfile à nouveau sa défroque diurne et, consumée par le feu de l'onguent, se met à sauter et à se désarticuler dans une pantomime grotesque.

Ton Tilou s'est, comme tout un chacun, amusé en son temps de ces enfantines fariboles.

Lui revient cependant à l'esprit un petit fait, depuis si longtemps occulté qu'il semblait avoir franchi la barre des récifs invisibles dont nos gommiers, canots gommeurs de nos souvenirs, ne reviennent plus, happés par le vide de l'oubli.

Ce lointain événement s'était produit l'année de ses dix-sept ans, dans le quartier de Desmarinières, sis à quelques kilomètres du bourg de Rivière-Salée.

À l'époque, les lieux étaient encore recouverts par une épaisse forêt où abondaient les cacaoyers, les canneliers et les poiriers sauvages.

Quelques cases se nichaient sous la frondaison et, parmi celles-ci, celle de Nicéphore, père du jeune Tilou de l'époque, qui était encore, pour peu de temps, comme il plut à Dieu, de ce monde.

Tilou avait toujours été un garnement plutôt vicieux, aussi attiré par les plaisirs faciles que rebuté par le labeur, ce qui permettait à sa mère d'utiliser à son encontre le proverbe réactionnaire déjà cité au sujet de l'inutile Gaston Évariste et qui dénigre le nègre chercheur d'emploi.

Ce jour-là, il avait, par pure négligence, laissé s'échapper le mulet de son père, auxiliaire indispensable aux travaux du charpentier.

Pour ce méfait, il avait reçu quelques coups de ceinture, assenés par un Nicéphore plus abattu qu'exaspéré, cette correction l'ayant laissé, tant physiquement que moralement, totalement indifférent, car il semble avéré qu'il avait le cuir plus tanné que celui de la cravache improvisée et l'esprit tout à fait rebelle au moindre perfectionnement, qu'il fût suggéré par la douceur ou imposé par la force.

Dès que ses parents désolés se furent couchés, Tilou s'empressa de filer par la fenêtre, dans l'intention de se rendre au bal animé par son groupe favori : « les Vikings de Rivière-Salée ».

En chemin, il rencontra un sien camarade, aussi doué que lui en voyouserie et ils se dirigèrent de concert vers un petit débit de la régie, sis à mi-chemin entre la forêt et le bourg, histoire de se mettre en forme pour la sauterie en buvant un punch ou deux.

L'autre garnement se nommait Calixte et vivait non loin de là, dans une case misérable, avec son aïeule, vieille femme de fort mauvaise réputation qui avait toujours quelque juron à la bouche.

Calixte avait la peau très noire et le poil ras. Sa courte taille ne l'empêchait nullement d'être faraud et il arborait, toujours collée à sa lippe, une courte pipe qui était censée lui donner ce qu'on appelle un genre.

Attablés devant leur bouteille de rhum, les deux vauriens se remirent à leur conversation habituelle, qui consistait à échanger un lot de paroles inutiles, de rodomontades puériles et de plaisanteries salaces.

L'alcool aidant, ils finirent par se défier, sur le mode plaisant, Calixte affirmant à l'autre qu'il avait découvert un plus court chemin que l'habituelle route de terre battue pour se rendre au bourg encore éloigné de trois kilomètres.

Il se faisait fort de prouver ses dires en empruntant ce raccourci et ils fixèrent ensemble l'enjeu du pari : le prix du billet de bal, et leur lieu de rendez-vous : le petit pont de pierre, juste avant les premières lueurs du bourg.

Calixte, la pipe vissée au coin de ses lèvres étirées par un demi-sourire énigmatique, disparut dans la nuit noire tandis que Tilou empruntait la route traditionnelle qui l'année suivante serait affublée, en même temps, d'une épaisse couche goudronnée et du nom pompeux de nationale.

Pour se donner du cœur au ventre, il se mit à chantonner la biguine qui était déjà son air préféré :

> « Pitong, pitong, pitong »
> Sa sa yé ?
> Krapo a bisiklèt
> Ka roulé, alô
> Way, boléro !
> Pa lévé la min sou krapo
> Si ou lévé lan min-ou sou krapo
> Ou ké lévé lan min sou manman-ou, alô...

« Pitong, pitong, pitong, »
Qu'est-ce que c'est ?
C'est Crapaud qui roule à bicyclette
Prends garde de ne pas lever la main
Sur Crapaud
Car il se pourrait bien que tu frappes
Ta propre mère...

Lorsque, quelques instants plus tard, Tilou aperçut enfin le pont de la rivière Salée, il se réjouit intérieurement : Calixte n'était pas au rendez-vous. Il avait donc remporté son pari et le fanfaron en serait quitte pour payer les deux billets de bal en rabattant son caquet.

– « Pitong, pitong », sifflotait-il en marchant vers la rivière qui marquait les limites du bourg, toujours en proie à sa musicale réminiscence d'anoure pédaleur.

Cependant, une sorte de gêne s'infiltrait, de façon presque incompréhensible, en lui : contrairement à ce qu'il avait tout d'abord pensé, le pont n'était pas désert.

Certes, aucun être humain ne s'y trouvait, mais un petit chien noir et trapu était assis là, le regardant s'approcher avec des yeux goguenards.

Le malaise persistant, Tilou fit encore, malgré tout, quelques pas dans sa direction.

L'animal ne manifestait aucune agressivité et demeurait parfaitement immobile. Pourtant, la chevelure emmêlée du garçon se hérissa brusquement sur sa tête : une faible lueur rougeâtre et clignotante éclairait le mufle étroit du petit chien noir.

C'était... Sacré Bon Dieu ! C'était... une pipe ! Une pipe qui jetait là ses derniers feux...

La terreur de Tilou atteignit brusquement son comble lorsque, dans l'obscurité redevenue totale de cette nuit sans lune, il entendit une voix aussi caverneuse qu'un aboiement qui prononçait les paroles suivantes :

– Eh, camarade ! Tu n'aurais pas du feu ?

Quelques centaines de mètres après la chapelle de la Vierge-des-Huit-Douleurs pour laquelle chaque jour est un 15 août tant ses fidèles l'illuminent de bougies « Clarté divine », Zonzon, légèrement aveuglé par un rayon de soleil, plisse ses yeux pour ne pas risquer de frôler le large fossé empli d'herbe folle qui longe la route serpentine. Cette mimique lui permet d'apercevoir, déambulant avec la calme majesté qui lui est coutumière, la haute silhouette de Philibert Laroche, qui, bien qu'originaire du bourg du Diamant, sis dans le Sud de l'île, ne dédaigne pas, une fois par mois, d'abandonner le ravaudage de ses filets et la confection de ses hameçons – occupations bénignes auxquelles il s'adonne depuis sa retraite en tant que marin-pêcheur – pour visiter un sien ami installé dans les terres de l'intérieur.

Philibert va sur ses soixante-trois ans mais il est droit comme un cocotier et vert comme un corossol. Il ne lui viendrait pas à l'idée d'attendre, immobile, le passage obligé de l'autobus unique, l'inactivité lui ayant toujours été insupportable.

C'est pourquoi, à chacune de ses visites à l'ex-soldat Arsène Machecoul, gazé comme lui-même à l'âge de vingt et un ans dans une sombre tranchée du Nord de la France, Philibert repart toujours à pied et, ne daignant pas héler le véhicule – ce qui lui paraîtrait contraire à sa dignité –, se contente d'en espérer l'arrêt à sa hauteur.

Il va de soi que jamais Zonzon ne se permettrait de lui infliger la honte de continuer sa route comme si de rien n'était. Le chauffeur a toujours éprouvé envers le vétéran une vive admiration car ce dernier n'a pas seulement été un héros de la guerre en l'autre bord : il fut également une célébrité locale lors de déjà anciennes élections au bourg du Diamant où les forces réactionnaires de la répression s'opposaient, cette année-là, aux balbutiantes prémices du syndicalisme.

Philibert approchait alors de sa vingtième année et faisait partie de ce que l'on appela pompeusement à l'époque « le Comité de soutien socialiste », qui s'était donné pour but de tenter de faire élire en tant que maire le premier candidat socialiste, qui était également le premier homme de race noire qui ait osé, à cette époque et dans le Sud, se présenter à un tel poste.

Le Comité était composé d'une trentaine d'hommes et de femmes pour la plupart jeunes et décidés.

Le dimanche du vote, rendu méfiant par des bruits alarmants et par d'étranges mouvements de troupe, le Comité, Philibert en tête, se dirigea en groupe serré vers la mairie pour s'acquitter de son devoir électoral.

À la stupéfaction générale, l'hôtel de ville était entouré de haies piquantes et métalliques que l'on voyait pour la première fois en Martinique : des fils barbelés.

Les hommes de main de l'ancien maire – un béké ventripotent fumeur de cigares et portant panama –, les « stipendiés », comme on les appelait, debout à l'entrée du goulot d'étranglement hérissé de pointes acérées, filtraient scandaleusement les votants, ne laissant passer que ceux qui, achetés par l'argent ou soumis par les menaces, avaient dû, bon gré, mal gré, faire allégeance au puissant.

Les membres du Comité n'eurent même pas à se consulter. Devant un tel déni de justice, face à une arrogance telle qu'elle n'était concevable qu'en raison d'une impunité assurée, ils s'enflamèrent d'indignation.

Pierres, bâtons et coutelas se matérialisèrent dans leurs mains et ils montèrent à l'assaut comme une seule grande vague, avec un gémissement de houle furieuse.

Les stipendiés, sûrs de leur fait, ne s'attendaient nullement à cette attaque massive.

Emportés par le flot humain, déroutés, ils refluèrent à toutes jambes, se réfugiant dans l'enceinte de la mairie, poursuivis par la populace brusquement déchaînée, menée par le Comité, lui-même précédé par Philibert qui se couvrit de gloire en portant l'estocade, de son noueux « boutou », au plus féroce des défenseurs du maire inique.

Malheureusement, la victoire des assaillants ne fut que de courte durée. Les renégats, un instant débordés, rassemblèrent leurs forces en investissant une salle de la mairie où des armes à feu, d'authentiques carabines, les attendaient complaisamment. Quelques coups tirés en l'air firent s'éparpiller les assaillants, vivement encouragés à déguerpir, par ailleurs, par de violents coups de crosse qui pleuvaient de partout, tant sur les hommes que sur les femmes et les enfants.

La foule, grondante, s'éloigna de l'inquiétante mairie, non sans avoir pu constater que l'urne avait été scellée à son socle.

Cette nouvelle qui fit en un clin d'œil le tour du bourg accrut la colère de la population qui se précipita vers l'évêché, sur le balcon duquel trônait, aux côtés de Monseigneur, le maire béké coiffé de son panama blanc, vêtu d'un costume de lin immaculé et mâchonnant son éternel cigare.

Monsieur de La L. ne se départit pas une seconde de son sourire et de sa morgue, promenant un regard dédaigneux sur les Diamantais qui s'amassaient sur le parvis, en contrebas. Avec quelques-uns de ses amis les plus hardis, Philibert Laroche eut l'idée de se glisser dans la poste qui, à l'époque, faisait face à l'évêché et de monter à l'étage pour ne pas demeurer aux pieds de l'homme méprisant qui toisait la foule, les yeux mi-clos masqués par un nuage de fumée odorante.

Au travers des persiennes entrebâillées, Philibert et ses acolytes virent un militaire galonné s'approcher du maire et lui parler à l'oreille, tandis que des menaces et des cris jaillissaient de la rue qui hurlait son désir de voter sous des formes peu amènes qui ne manquaient pas de faire allusion à l'absence de virilité de l'élu. Philibert vit la main baguée de l'homme au panama s'élever.

Il entendit alors une longue et sèche pétarade dont il ne comprit pas immédiatement – et pour cause – l'origine.

Il vit, dans la rue, à quelques mètres au-dessous de lui, les habitants tout à l'heure menaçants s'enfuir dans tous les sens. Il ne comprit pas davantage pourquoi certains d'entre eux s'étaient affalés face contre terre et demeuraient immobiles, le nez dans la poussière. Par la suite, il se rappela avec déplaisir qu'il avait pensé que c'était la lâcheté du nègre qui encourageait l'arrogance du béké.

« Quelques balles tirées en l'air, et ils fuient comme des manicous pourchassés par des chiens ! » songea-t-il. Puis son regard se fixa sur une scène qui lui parut créée de toutes pièces par son imagination, tant elle avait l'air irréelle : le vieux Léandre se précipitait de toute la vitesse de ses pauvres jambes vers le grand cocotier qui s'inclinait face à la mer, de l'autre côté de la place.

Arrivé près de l'arbre, notre homme stoppa net et ouvrit largement les bras avant de les refermer sur le tronc rugueux en une farouche embrassade. Puis, comme au ralenti, Philibert eut la vision du corps du vieillard se ratatinant lentement avant de s'effondrer au pied du cocotier.

Ce n'est qu'alors que les hommes réfugiés dans la poste se rendirent compte qu'un énorme geyser de sang écarlate jaillissait du dos transpercé de l'homme accroché à la paroi ligneuse.

Des cris de douleur et de haine jaillirent aussi, simultanément, de tous côtés :

– Ils ont tiré !

Les jeunes gens, pétrifiés dans leur cachette, découvrirent alors l'origine de la tuerie, car c'étaient bel et bien des cadavres qui gisaient, face contre terre, dans la vapeur moite de midi.

Dans l'encadrement d'une des fenêtres de l'évêché, un homme noir – qu'on sut par la suite être originaire d'une île voisine – se tenait derrière une arme rutilante, tout aussi inconnue que l'avaient été, tout à l'heure, les barbelés.

Ce fut leur première vision de ce que l'on connut bientôt sous la dénomination de « mitraillette ».

Des hurlements de femmes éclatèrent à nouveau :

– Assassins ! Assassins ! On tue nos enfants !

Encore saisis par la violence et l'étrangeté de la situation, Philibert et ses amis demeurèrent abasourdis.

– Assassin ! Tu as tué tes frères ! cria une femme terrée dans l'ombre.

L'homme noir qui se tenait accroupi derrière l'engin de mort appelé mitraillette balaya du regard les corps qui gisaient, immobiles, quelques mètres au-dessous de lui.

Philibert, de l'autre côté de la rue, était trop loin pour tenter de deviner, à l'aide de l'expression de son visage, l'acte dénué de toute vraisemblance qu'il allait pourtant commettre.

L'homme, sans aucune hâte, fit pivoter son arme et, l'ayant braquée sur le maire en panama blanc qui, entouré des volutes de fumée de son cigare, se tenait sereinement sur le balcon de l'évêché déserté par le prélat, appuya lentement sur la gâchette, déclenchant pour la seconde fois la pétarade sèche, mais cette fois-ci en direction d'une unique victime.

Son costume immaculé strié de rouge, le maire se plia en deux avant de s'écrouler dans les bras de l'homme d'Église accouru en hâte.

– Je suis perdu ! cria-t-il en hoquetant. Je suis touché au ventre ! Je vais mourir !

On entendit nettement le prélat bouleversé lui répondre que Dieu ne permettrait sans doute pas sa mort.

Des années plus tard, lorsque Philibert Laroche relatait l'ancien événement, il ne manquait cependant jamais de conclure ainsi :

– Eh bien, contrairement à ce qu'avait dit Monseigneur, Dieu permit, car le maire trépassa dans l'heure qui suivit, aussi étripé que les morts de la place !

Les gendarmes investirent les lieux et garrottèrent le versatile mitrailleur.

La population du bourg du Diamant dut subir une terrible répression. Il fut annoncé haut et clair l'interdiction totale de ramasser les corps qui, pour l'exemple, demeurèrent à pourrir pendant quarante-huit heures, sous le soleil puis sous la pluie nocturne.

Les membres du Comité, pourchassés sans relâche, disparurent dans les mornes avoisinants où ils se terrèrent jusqu'au départ des patrouilleurs qui écumèrent, sans grand succès, la plupart des recoins de la commune.

Le temps passa sur ces cruels événements mais certains se souviennent que, bien des années après, des étrangers au bourg s'étonnaient encore de voir d'éminents catholiques diamantais cracher sans vergogne en passant devant l'évêché qui, abandonné de tous, finit un jour par tomber en ruine.

Au cimetière du bourg, non loin de la tombe du père Léandre, l'homme qui mourut en embrassant un arbre, on peut voir une sorte de petit monument qui évoque plutôt une stèle qu'une tombe.

Dans leur enfance désormais lointaine, Philibert Laroche et son ami Arsène se souviennent d'avoir joué aux billes derrière la pierre levée qui porte une lapidaire inscription : « Les marins de l'*Amélie* », avec une simple date : 1851.

Si on en croit Arsène Machecoul, né quelque vingt ans après, ce qu'on n'appellera que plus tard une tragédie a débuté, aux dires de son propre grand-père, un jour de septembre, en plein hivernage de l'année susnommée.

Cette sombre fin d'après-midi fut relatée par les quelques pêcheurs du bout de la longue plage qui fait face au célèbre rocher du Diamant, au lieu-dit l'Anse-Cafard.

Ce qui se passa avant cette date s'est perdu dans les limbes de l'oubli.

Les rares gommiers du quartier : *À-toi-Mon-Cœur,*

Adieu-La-Misère, Vent-Debout et *Libres-Pensées* avaient été soigneusement halés sur le sable gris, loin de la mer. Cette dernière, ayant pris une teinte métallique frangée de blancs moutonnements, avait tendance à se gonfler en d'inquiétants mouvements ondulatoires, suivis du fracas successif des rouleaux disparates, annonciateurs de lames de fond, tandis que le Rocher, au loin, perdait toute grâce pour ne plus être qu'une façade grise et abrupte, âpre visage léonin agressivement tourné vers la presqu'île ennuagée de la Femme-Couchée.

Les frégates et autres oiseaux marins, rasant sans bruit la mer bouillonnante, eurent vite fait de disparaître vers des cieux plus cléments.

Les hommes et leurs familles sentirent approcher un lugubre crépuscule, sous les mancenilliers et les raisiniers de mer agités par un vent spasmodique.

Attentifs au crépitement affolé des pattes minuscules et des pinces acérées des touloulous occupés à enfouir leur rouge carapace dans le sable noir, ils se réfugièrent dans les cases aux parois faites de souples branches de campêche entrelacées et au toit de feuilles de palmier sèches.

Certains, avant de se calfeutrer au mieux dans l'abri incertain, crurent apercevoir, entre les lames déferlantes et les nuages houleux, à la hauteur des récifs déchiquetés qui bordent le Rocher devenu sinistre, un trois-mâts qui, à l'encontre de tout bon sens, se dirigeait vers l'anse au lieu de tenter de s'éloigner par le courant du large vers la baie de la Cherry toujours plus tranquille.

Si capitaine il y avait, à bord du fantomatique vaisseau, il ne s'agissait sans doute pas d'un marin émérite, mais bien d'un de ces aventuriers venus de l'autre bord, incapables de se mesurer aux fantasques mers tropicales et poussés par un appât du gain encore plus violent que leur instinct de survie.

Il semble avéré que le navire ait tenu à éviter, non seulement les ports, mais encore les rades plus accueillantes, recherchant à coup sûr le secret de l'anonymat.

Et quelle cargaison était, à l'époque, plus fructueuse que celle du bois d'ébène, la traite des Noirs venant juste d'être abolie, en dépit de la persistance du système esclavagiste, de la demande des grands propriétaires et de l'offre des négriers ?

La nuit tomba, abrupte, en même temps que le vent se levait, tourbillonnant, pré-cyclonique.

Depuis l'abri dérisoire des pauvres cases, les habitants de l'Anse-Cafard, impuissants, purent entendre, entre deux mugissements maritimes, le trois-mâts se fracasser sur les cailles acérées qui entourent le grand Rocher.

Le sourd grondement des éléments couvrit – s'il y en eut – les cris des mourants et le navire contrebandier sombra, corps et biens, en quelques minutes.

Les femmes se signèrent dévotement, marmonnant quelques prières destinées à favoriser le passage dans l'au-delà des âmes mortes, les bonnes comme les mauvaises, celles des bourreaux comme celles des victimes.

Au petit matin, le vent tomba sur la plage dévastée. Sous les grands arbres redevenus immobiles, un pâle soleil éclaira les vestiges de l'embarcation disloquée, projetés là par la violence des vagues.

Puis, petit à petit, on découvrit les cadavres. Les hommes esclaves avaient tous péri : leurs pieds entravés par de lourdes chaînes, reliés par groupes de trois, ils avaient coulé aussitôt, incapables de nager ou de s'accrocher à un quelconque débris. Ramenés par la mer, ils gisaient sur le sable noir comme eux, nus et désarmés.

Ce qu'on trouva plus qu'étrange, en cette circonstance, c'est que pas un des membres de l'équipage blanc n'avait pu, bien que libre d'entraves, survivre. Tous les marins étaient morts noyés.

Contre toute attente, on finit cependant par découvrir, tremblants et rendus muets par la frayeur, un groupe de neuf survivants nègres, tous des femmes et des enfants en bas âge, non enchaînés et terrés sous un canot disloqué.

Lorsqu'on les eut secourus et nourris, on tenta de les interroger, mais ils ne parlaient aucune langue connue des habitants.

On ne put trouver, d'après ce que racontait le grand-père d'Arsène, d'autres renseignements sur l'infâme négrier que le nom du navire : l'*Amélie*.

Interrogée, une femme plus vigoureuse que les autres posa la main sur sa poitrine et prononça clairement le mot « Ibo ».

On crut longtemps que c'était son patronyme et la population du Diamant l'appela « Man Ibo » jusqu'à ce qu'un prêtre de passage dans la commune, missionnaire qui avait, dit-on, converti les sauvages d'Afrique, ait expliqué que « Ibo » n'était pas le nom d'une personne, mais d'un peuple du pays noir.

Les nègres morts furent enterrés à même la plage, sous l'épaisse frondaison des raisiniers géants qui la bordent aujourd'hui encore.

Les cadavres des Blancs sans plus d'identité que ceux des Noirs furent chrétiennement inhumés dans le cimetière du bourg du Diamant, sous la stèle bizarre qui porte le nom du navire.

Les femmes et les enfants survivants ne purent, en raison de l'abolition de la traite, être considérés comme esclaves. On inventa pour eux le titre d'« Ouvriers du roi » et on les plaça dans les ateliers des manufactures rhumières, avec le symbolique salaire de trois sous par mois.

Telle fut l'histoire des Ibos de l'*Amélie*, du moins celle qui fut contée, de bouche à oreille, par l'ancêtre d'Arsène Machecoul qui disait avoir assisté au naufrage du navire maudit.

Le Saint-Michel-Archange, dédaignant le frein, s'engage dans la portion de route qui surplombe la calme vallée Heureuse qui doit tenir son nom de son faible niveau de population.

Ceux qui y ont caché leurs modestes cases ne travaillent pas pour les Usiniers. Ils ignorent les grands champs de canne et les bananeraies spongieuses, ils n'ont pas de paye, à la fin du mois. Ils vivent pauvrement de l'exploitation de leur petit jardin créole qui nourrit la famille, le maigre surplus étant échangé, car le troc est resté chez eux monnaie courante : deux ignames contre un kilo de poisson, trois kilos de concombres massissis contre une pièce de madras ou une livre de morue séchée !

Ce qui échappe au troc est revendu au marché du Carénage, à Fort-de-France, ou, plus simplement, sur la route même, dans des échoppes de fortune – une planche, deux tréteaux et un pliant de toile – installées à l'ombre d'un arbre.

Le jardin créole se révèle une véritable manne qui

a toujours quelque chose à offrir selon chaque période de l'année : à Noël, les pois d'Angole abondent et les orangers regorgent de fruits. Il y a aussi la saison des bananes-figues, au goût acidulé, des goyaves propices à la confection des confitures, des avocats violacés à goût de noisette, des pommes d'eau, des caïmites, des prunes de Cythère, des ananas-bouteilles aussi étroits que sucrés, des ignames « sassa », des cristophines blanches, des patates douces et des fruits à pain.

On ne meurt pas de faim, mais on travaille dur, dos plié sous le soleil. La chair est rare mais on se débrouille toujours pour nourrir d'épluchures le cochon de la Noël, parfois à deux ou trois familles alliées.

Certains possèdent quelques poules ou quelques lapins et les enfants écument la rivière qui regorge d'écrevisses.

Il faut, hélas, compter avec le caractère aléatoire de l'agriculture : une simple tempête tropicale – ne parlons même pas du cyclone –, un débordement de rivière, un grand vent, un carême trop aride, et le faible équilibre est remis en cause : il n'y a pas d'argent, donc pas d'économies.

L'autre problème fondamental concerne la scolarité des enfants à laquelle ceux qui n'ont jamais pu étudier tiennent comme à la prunelle de leurs yeux.

Les transports sont rares et chers et la route est longue, à pieds vers la plus proche école, qu'on remonte vers Saint-Joseph ou qu'on descende vers la ville, sans compter que leurs pieds nus et leurs hardes propres mais rapiécées attirent sur les enfants des paysans les moqueries aussi féroces qu'humiliantes des mieux lotis.

Il arrive parfois que le fleuve immuable de la fatalité ait des sautes d'humeur. Ses caprices sporadiques se traduisent alors par des débordements aussi rares que spectaculaires. La toute-puissante hiérarchie sociale insulaire se retrouve un instant cul par-dessus tête, scandalisée par l'avatar imprévisible.

Pourquoi le sort facétieux posa-t-il son dévolu sur le berceau désolé de celle qui, désormais adulte, vient de monter dans l'autobus avant de s'asseoir, comme il se doit, au premier rang, reconnue par tous, ainsi qu'en a attesté le murmure flatteur mais déférent qui l'a accueillie ?

Cette parfaite image de la dignité et de la sérénité féminine n'est autre que Madame Claireneuve, directrice d'un des plus importants lycées de jeunes filles de l'île.

Si nous revenons en arrière, à l'époque de sa quatorzième année où, jeune boursière, ce n'était encore qu'en tant qu'élève qu'elle fréquentait l'établissement en question, nous pourrons mesurer le chemin parcouru par Rose Claireneuve.

Ce patronyme pimpant et pastellisé sonnait, dans le monde confiné de préjugés qui fut celui de son adolescence, comme une incongruité : Rose était pauvre et noire.

Orpheline de père et de mère, elle était alors élevée par les sœurs de l'ouvroir de Fort-de-France.

L'âge ingrat, qui épargne certaines jouvencelles, s'était acharné sur sa personne.

La nature l'avait dotée d'un corps informe et courtaud, ni gros ni maigre, mais totalement dénué d'élégance.

Ses pieds étaient plats, ses jambes torses, ses genoux cagneux, son bassin large, sa taille absente, son estomac proéminent, ses seins inexistants, ses salières creuses et ses épaules anguleuses.

Sa démarche saccadée, ses gestes brusques et sa voix rauque n'avaient rien de séduisant, pas plus que son visage, à la peau sombre et terne, recouvert de boutons d'acné juvénile à tendance infectieuse.

Ses cheveux courts et rebelles se trouvaient étroitement enserrés dans de disgracieuses papillotes en papier journal.

Cette apparence physique dépourvue d'attrait ne pouvait espérer la moindre amélioration de la vêture des bonnes dames patronnesses qui entretenaient, grâce à leurs travaux d'aiguille, la pauvre garde-robe des jeunes pensionnaires de l'ouvroir.

Rose n'était ni la jolie métisse appréciée de toutes les races, ni la gazelle noire chère aux esthètes friands de types plus appuyés.

Elle était, comme on dit ici, parfaitement ordinaire.

Au sein de la classe de seconde A1, fleuron du lycée de jeunes filles et qui pouvait s'enorgueillir de la présence de six filles de médecins, quatre de pharmaciens, cinq d'enseignants, trois d'architectes, deux de gros commerçants, deux de notaires et même d'une fille de député, la jeune Rose faisait figure de vilain petit canard.

Elle ne devait sa présence au sein du florilège qu'à une réussite scolaire sans précédent, depuis son examen d'entrée en 6e où elle fut – au grand dam de certaines jeunes personnes de l'élite – reçue première de la Martinique.

Les années suivantes, Rose Claireneuve, imperturbable dans son éternelle chasuble marron, la tête hérissée de papillotes et la peau bourgeonnante, faisait le plein des prix les plus enviés de la classe élue : 1er prix de latin (avec une brillante version du *De viris illustribus*) et 1er prix de grec (avec un thème qui avait laissé pantois les meilleurs hellénistes de la classe de philosophie du lycée Schoelcher).

Dans la cour de l'ex-pensionnat colonial les sourires de commisération qui avaient d'abord accueilli l'orpheline se muèrent en grimaces.

Le vendredi, jour de remise de la plupart des « devoirs sur table », on pouvait remarquer une toute particulière animation aux alentours de la silhouette râblée de Rose Claireneuve.

On lui disait bonjour ; on lui faisait un sourire ; on la gratifiait d'un bonbon... Certaines allèrent même

– et ceci fut considéré par les autres comme un coup particulièrement bas – jusqu'à l'inviter à leur surprise-partie d'anniversaire, dans les villas des hauteurs, surplombant les moiteurs de la capitale.

On sut gré à l'adolescente de refuser les invitations et d'accepter les amitiés hebdomadaires avec une égale bonne humeur.

Jamais on ne l'entendit refuser de prêter la main à une ignare issue de bonne famille, jamais on ne la vit se targuer de sa parfaite connaissance de la langue française (en évidente dissonance avec son origine de classe), jamais on ne la surprit cachant ses notes ni dénonçant une fraude.

Rose eut même le bon goût de ne dépasser qu'à peine la moyenne en mathématiques et en physique.

Quand on lui demandait ce qu'elle comptait faire plus tard elle avait la sagesse innée de répondre avec modestie : « ... Des lettres... », terminologie assez vague pour désamorcer d'éventuels soupçons d'arrogance.

Si, au sein du pensionnat colonial, la jeune Rose Claireneuve ne pouvait avoir que des compagnes (ou plutôt des rivales) de classe, elle possédait néanmoins, hors des hauts murs losangés du célèbre établissement scolaire, une amie, une seule et véritable amie, Lydia Modestin, qui avait quelques années de plus que Rose et qui, comme elle, était orpheline.

Jusqu'à sa vingt-troisième année, la jeune fille, aînée de quatre enfants, et vivant chez ses parents, avait exercé son métier, fort prisé par la bourgeoisie de l'époque : elle excellait en broderie et savait créer d'aériennes dentelles qui venaient agrémenter robes du soir et tuniques baptismales.

Bien que sage et laborieuse, cette vie lui laissait quelques loisirs qu'elle utilisait comme toutes les jeunes personnes de pauvre condition mais de bonne éducation : elle se rendait de temps en temps au bal, dûment chaperonnée par l'un de ses cousins et, disposant d'un assez joli filet de voix, faisait partie de la chorale de sa paroisse où l'on exécutait des morceaux tels que *La neige tombe sur Paris* et surtout une chanson qui parlait d'une espèce florale inconnue sous nos cieux mais qui paraissait particulièrement appréciée en l'autre bord :

> Colchiques dans les prés
> Fleurissent, fleurissent
> Colchiques dans les prés
> C'est la fin de l'été...

Lydia et sa mère avaient toujours été très proches l'une de l'autre. Vingt années seulement les séparaient et on aurait juré, les voyant si semblables, qu'elles étaient plutôt sœurs ou amies que mère et fille.

Elles étaient liées par une réelle complicité, faite de fous rires, de secrets chuchotés, d'entraide et de gamineries féminines.

Ses propres frères et sœurs appelaient affectueusement Lydia « Ti-Manman ».

Un exemple de leur tendre connivence est resté présent dans le souvenir des habitués du taxi collectif dont Zonzon, à l'époque, conduisait déjà les destinées.

Une fois par semaine, Madame Modestin se rendait, accompagnée de sa fille aînée, chez une vieille tante du Gros-Morne qui, en contrepartie de menus travaux d'aiguille, fournissait la famille en légumes et fruits frais destinés à améliorer son maigre ordinaire.

Pendant plusieurs mois, semaine après semaine, la

plupart des passagers ne manquèrent pas de s'apitoyer sur les blessures localisées et apparemment inguérissables qui frappaient les deux pauvres femmes : le pied droit de la mère et le pied gauche de la fille étaient également emmaillotés dans des linges immaculés, chacun des autres pieds étant sobrement chaussé de cuir souple.

Ces entorses permanentes finirent par faire jaser : Madame Modestin ne serait-elle pas affligée d'un hideux pian, communément appelé « gros pied » ?

Quant à sa jeune et jolie fille, il y avait certes de quoi s'inquiéter.

Ce n'est pas aux vieux singes qu'on apprend à faire des grimaces et tout le monde – ou presque – sait de quelle malformation souffre, sa dernière apparition n'étant pas si lointaine, la célèbre diablesse, fantasme incontesté de la gent masculine locale.

La cousine de la servante de Tante Amélie était formelle : elle avait été elle-même témoin des faits qui s'étaient déroulés l'année précédente, lors du baptême du dernier petit-fils du père Isidore, major du quartier dit de l'Anse-Couleuvre non loin du bourg du Prêcheur.

La fête battait son plein, le buffet regorgeait de toutes sortes de bonnes choses et le rhum-paille coulait à flots sous la paillote dressée contre la maison, pour la circonstance.

Isidore et Chimène, son épouse, rayonnaient : après dix mois de mariage, leur benjamin et sa jeune épouse venaient de mettre au monde un délicieux bébé potelé.

La musique était aussi chaude que l'ambiance et jeunes, vieux et enfants tourbillonnaient à l'envi.

Tandis que le jour déclinait à la vitesse d'un cheval au galop, un coup de tonnerre aussi violent qu'inattendu fit sursauter les invités.

La panne d'électricité qui s'ensuivit fit, elle, sauter la sonorisation.

Dans un bref silence étonné, on entendit nettement le bruit d'une forte rafale de vent qui fit voler les nappes et claquer les portes. On perçut les gloussements des filles chatouillées par leurs galants.

À la lueur des briquets, des bougies et dans l'agitation générale, personne ne remarqua l'ombre mouvante qui traversait en clopinant la pièce.

Aussi brusquement qu'elle s'était éteinte la lumière fut rétablie, accueillie par un cri de joie unanime.

Tous les regards irrésistiblement attirés se fixèrent l'un après l'autre sur la silhouette suggestive d'une jeune beauté inconnue, vêtue d'une longue robe rouge, au corsage audacieusement décolleté.

La femme était nonchalamment assise à la place d'honneur, celle-là même où se tenait tout à l'heure la jeune mère.

Avec un geste sensuel, elle porta à sa bouche une cigarette d'une longueur que d'aucuns jugèrent excessive.

En un éclair, une lumineuse gerbe de briquets, présentés par des mains exclusivement masculines, offrirent leurs flammes à cette cigarette et le halo lumineux créé par tant d'empressement permit à toute l'assistance de découvrir un sourire lumineux dans un visage ravissant.

Les yeux des hommes luisirent d'admiration tandis que ceux des femmes se voilaient de dépit.

Sans que personne ait, à ce qu'on dit, manipulé quoi que ce soit, la langoureuse musique de *La Sirène* s'éleva sous la paillote :

An jou, man désand
La kaskad pou binyin
Man jwind an Manzèl
Trè joli ki di mwin :
« Doudou, sé ou mwin wè
Sé ou mwin lé !
A pèn man souri, fi-a kouri, désann
Tyinbé mwin bô dlo-a
I bo mwin, i di mwin :
« *Chéri, sois à moi pour la vie...* »

Un jour, je descendis à la cascade
Pour me baigner
J'y fis la rencontre
D'une femme très jolie
Qui me dit :
« Doudou, c'est toi que j'ai vu
C'est toi que je veux... »
J'ai à peine souri et
La jeune fille s'est jetée dans mes bras,
M'a couvert de baisers et m'a dit :
« Chéri, sois à moi pour la vie... »

Tous les hommes – quelle engeance ! – se précipitèrent pour avoir l'honneur d'obtenir la première danse de la belle étrangère mais celle-ci, se levant avec grâce, se dirigea lentement vers le jeune marié qui se tenait debout, pétrifié, ébloui, sur le pas de la porte donnant vers l'intérieur de la maison.

Nul ne parut s'apercevoir que ses chaussures émettaient un son étrange et que quelques étincelles jaillissaient de ses talons, sous la longue jupe.

La foule des hommes domptés s'écarta silencieusement sur son passage.

La femme en rouge s'approcha du jeune Isidore et lui prit la main.

Ignorant le regard désespéré de la jeune mère, ils se mirent à danser, étroitement enlacés, les yeux dans les yeux, exactement comme s'ils avaient toujours été seuls au monde :

Bra dan bra
Kèr dan kèr
Jou dan jou
A lè ta la
Pa ni manman
Ay jigé wè Marèn
Bra dan bra
Kèr dan Kèr
Jou dan jou
Pa ni bagay
Ki pli dou...

Bras dans bras
Cœur dans cœur
Joue dans joue...
À cette heure
Il n'existe plus de mère
Que dire d'une marraine ?
Bras dans bras
Cœur dans cœur
Joue dans joue
Il n'y a rien de plus doux

La jeune maman, à la fin de la danse, fit une vaine tentative pour rappeler son existence à son envoûté : elle se planta devant lui et, les mains aux hanches, le toisa sans aménité, ignorant délibérément l'intruse.

Hélas, voyez comme l'homme est fait ! Les deux danseurs ne la remarquèrent même pas. Isolés dans leur rêve intérieur ils continuèrent à évoluer, le regard accroché l'un à l'autre.

Des étincelles s'échappaient du talon de la femme.

L'épouse bafouée éclata en sanglots et s'enfuit en courant, suivie de sa mère furieuse et désolée.

Son jeune mari de plus en plus fasciné s'oublia au point de tenter de poser un baiser sur la gorge de l'inconnue qui lui échappa, et éclata d'un rire en cascade qui mit le feu au sang de plus d'un invité.

La jeune femme en rouge s'enfuit, toujours riant, hors de la paillote, empruntant dans les ténèbres le chemin escarpé qui montait vers la montagne Pelée.

Ses pieds lançaient des étincelles.

La lune, jaillissant de derrière un nuage, ne laissa

entrevoir que son foulard rouge, flottant derrière elle, bientôt happé par la main du jeune Isidore lancé à sa poursuite.

Les convives consternés entendirent encore une fois résonner le vibrant rire de gorge de la femme, bientôt suivi par un grand cri masculin qui décrut peu à peu, à moitié couvert par le fracas de roches éboulées.

Il semble que l'on puisse désormais espérer qu'à la suite du récit de la cousine de la da de la servante de Tante Amélie, les plus ignorants des mystères de cette île auront compris que la sulfureuse diablesse cache sous sa longue jupe rouge un pied de bouc du plus vilain effet.

Par bonheur, les clients inquiets de Zonzon Tête Carrée eurent bientôt loisir d'être rassurés.

En effet, après quelques mois d'économies, l'escarcelle de Madame Modestin parvint à être assez pleine pour qu'elle puisse se permettre d'acheter une deuxième paire de chaussures.

Mais le sort inconséquent frappa, rompant cette belle harmonie et la mère de Lydia eut la douleur de perdre son époux.

Aussitôt, son humeur s'altéra et, se réfugiant peu à peu dans son chagrin, elle abandonna à sa première fille la direction de sa maison et les responsabilités inhérentes à la position de chef de famille.

Cette nouvelle situation eut pour effet de désarçonner complètement Lydia qui éprouvait devant l'attitude de détachement de Fanny Modestin un étrange sentiment qui ressemblait à de la culpabilité.

Qu'avait-elle pu faire pour briser le dialogue avec celle qu'elle vénérait encore plus depuis qu'elle était privée de son père ? Elle assista, impuissante, à la dégradation physique et morale, pour cause de chagrin, de sa mère tant aimée.

Lorsque celle-ci, lasse et déprimée, mourut prématurément, Lydia n'eut guère le temps de s'abandonner à la douleur de la perte qui n'avait fait qu'intensifier son impression de responsabilité.

Les morts ne vieillissant plus, la jeune fille vécut désormais dans la hantise de devoir un jour affronter l'intolérable : être plus âgée que sa propre mère.

Elle se crut obligée d'assumer seule la prise en charge des quatre orphelins, deux garçons et deux filles et son existence s'en trouva considérablement modifiée.

Occupée la plus grande partie de la journée à divers travaux culinaires ou ménagers, elle fut contrainte de consacrer ses soirées à l'exercice de son métier, emploi du temps qui lui interdit naturellement toutes les distractions coutumières à son âge et à son sexe.

Plus gracieuse que franchement jolie, dotée d'un corps harmonieux et d'un sourire irrésistible, Lydia, bien que fort modeste, aurait pu se flatter, avant l'époque de sa prise de responsabilités, des attentions de nombreux soupirants.

Le bel Aurélien Aurèle, arpenteur de son métier, lui avait déjà, en toute honnêteté, proposé le mariage et elle était loin de lui manifester de la répugnance.

La disparition de sa mère modifia du tout au tout le comportement de la jeune fille.

Le lumineux sourire s'effaça de ses lèvres tandis que se voûtait la gracile silhouette.

Toutes les invitations à danser se trouvèrent dédaignées, la chorale catholique fut abandonnée et le soupirant délaissé. Aurélien ne se laissa pas écarter sans regimber.

Pendant plusieurs mois, il assiégea la demeure endeuillée. Il couvrit de fleurs son ex-presque fiancée, renouvela sa demande par le biais de lettres incendiaires mais il ne sut pas trouver les seuls mots qui auraient eu raison de la trop subite indifférence de l'élue de son cœur : « Je t'épouse et j'adopte tes quatre cadets ! »

Le prétendant une fois lassé, Lydia se cantonna strictement dans le rôle qu'elle s'était elle-même alloué : entre les langes et les biberons des plus petits, entre les leçons et les réprimandes aux plus grands, soumise à l'impérieuse réalité des échéances de fin de mois, des vêtements et des chaussures qui semblent rétrécir de semaine en semaine sur des corps et des pieds impatiemment avides d'ascension ou d'épanouissement, elle se recroquevilla sur ses dentelles et sur son devoir de pseudo-mère vierge.

C'est grâce à la rugueuse Rose qu'elle connut ses rares instants de détente car la jeune fille de l'ouvroir avait pris l'habitude de venir travailler chez elle, après le collège et ne manquait pas de faire profiter son aînée des multiples apprentissages que lui procurait l'accession à la culture universelle.

Lydia, penchée sur ses interminables travaux d'aiguille, écoutait, les yeux baignés de pleurs, le récit de la dérive du bateau ivre, des émois de Swann et des souffrances du jeune Werther.

La bibliothèque du pensionnat était encore, à l'époque, fort pauvre et soumise aux choix de sa bienfaitrice, un professeur de lettres classiques aux choix heureusement éclectiques.

On ne pouvait en conserver les ouvrages qu'une semaine et les deux jeunes filles devaient se partager ce maigre laps de temps pour arriver au bout de chaque lecture.

C'est ainsi que Lydia ne sut jamais la fin du roman de Bug Jargal dont les aventures passionnées lui avaient arraché des larmes.

Pour Rose, le temps se déroula sans lenteur et vint le jour de l'oral du baccalauréat qui fut, cette année-là, semblable à la plupart des jours de la fin des mois de juin ordinaires : il y fit chaud et sec et, comme la chaleur, l'angoisse des malheureuses candidates atteignit son zénith vers quinze heures.

En moins de temps qu'il n'en faut pour le dire, les arrogantes compagnes de l'orpheline furent ravalées au rang de cancresses honteuses.

En philosophie, elle triompha au sujet du doute méthodique cher à Descartes.

En latin, elle fit un malheur avec un passage du *De bello gallico*.

En grec, elle étonna avec une remarquable traduction d'Aristote, bien que le passage concernant sa théorie du syllogisme ait toujours été la bête noire des plus brillants.

En français, elle disséqua avec finesse le *César Birotteau* de Balzac, révélant la tragédie sous le drame bourgeois sans omettre de signaler le dessein fondamental de l'écrivain : décrire l'émergence d'une nouvelle classe avide de pouvoir dans le tissu social de l'époque.

En histoire, elle relata les victoires napoléoniennes avec autant de véracité qu'un vieux grognard d'Empire et autant d'esprit d'analyse qu'un exégète confirmé.

Le tout fut à l'avenant : le jour de gloire (enfin, son tout premier) de Rose Claireneuve était arrivé.

Encensée par le jury unanime, bien que désorienté, Rose termina ses épreuves en apothéose : six mentions « Très bien » et deux mentions « Bien » vinrent couronner son labeur et sa culture.

Le soir même, elle arracha ses papillotes, se coupa les cheveux aussi court qu'un garçon et se mit au régime sans sel.

Trois mois après, le paquebot *Colombie* quittait majestueusement la rade de Fort-de-France et Rose élevait une main émue tandis que, restée à quai, Lydia Modestin, entourée de deux marmots geignards et d'un couple d'adolescents, sanglotait au son de la larmoyante et sirupeuse romance en langue pseudo-créole qui présida longtemps à tous les départs maritimes.

Adieu, madras
Adieu, foulards
Adieu, grains d'or
Adieu, colliers-choux
Doudou an moin
Ki ka pati
Hélas, hélas
C'est pour toujours...

Élégante et amincie, entourée d'une cour d'admirateurs empressés, Rose Claireneuve arpentait le pont du rutilant navire qui cinglait vers la métropole, avec la ferme intention de secouer la vieille Sorbonne parisienne aussi violemment que l'ex-petit pensionnat colonial martiniquais.

Une oreille attentive aurait pu l'entendre fredonner l'insolent petit couplet destiné à ridiculiser la morgue stupide de certains petits-bourgeois locaux :

Regardez-les donc,
Ces Messieurs les petits fonctionnaires
Avec leurs souliers vernis
Et leurs vestes-boléros...
À l'arrivée du *Colombie*
Qu'ils sont amusants
Qu'ils me mettent en joie
Lorsqu'ils se disent comme ça :
Et comment va ton papa ?

Ignorant le virage en épingle à cheveux qui oblique vers Ravine-Vilaine, l'autobus termine la traversée du quartier de Redoute en phase d'embourgeoisement.

Certes, il n'y a rien de comparable avec celui de Didier, sur le morne opposé, de l'autre côté de la ville. Il ne connaît pas, comme ce dernier, les petits castels à tourelles et les pelouses à l'anglaise, mais il s'enorgueillit de quelques ravissantes maisons coloniales en bois, agrémentées de spacieuses vérandas ajourées donnant sur des jardins soignés et fleuris.

La grande difficulté, même pour un chauffeur averti comme Zonzon, est l'absence totale de trottoirs, fait constant sur la plupart des routes du pays mais qui prend ici un caractère inquiétant, en raison du nombre croissant de marcheurs qui descendent d'un pas allègre vers la capitale située en contrebas : écoliers chahuteurs aux imprévisibles réactions de jeunes cabris, marchandes portant à l'ancienne leurs trays ou leurs paniers sur la tête.

Le marché du Calvaire, surmonté de son unique

et gigantesque flamboyant rouge, marque l'ultime frontière entre le morne escarpé des quartiers de banlieue et la petite esplanade où naquit la modeste place forte militaire qui se nommait alors « Fort-Royal ».

À l'ombre de l'arbre géant, au croisement de la Levée, qui n'est pas une rue mais bel et bien une avenue digne d'une métropole, les marchandes, de l'aube au crépuscule, proposent les produits de leurs étalages multicolores, aux senteurs douces ou poivrées, avec une souriante rudesse.

Il est indéniable que le macaque ne trouve jamais que son petit est laid et que les siens ne sont jamais trop lourds à porter pour l'estomac, mais nous sommes bien obligés de reconnaître, nous autres, marquis aux nus pieds, que nous possédons un appétit immodéré pour la chicane, la querelle, la noise, la tracasserie, l'argutie, l'ergotage, la bisbille, la dispute, le milan, bref, le cancan, phénomène reconnu publiquement par le chanteur du groupe Malavoi :

> C'est un sport national
> Chacun aime dire de l'autre du mal
> Et dans notre pays
> Le cancan et le milan sont frères
> Râleurs
> Chicaneurs
> Disputeurs
> Rouspéteurs
> C'est ainsi que nous sommes...

Et puisque nous sommes en veine de confidences autodépréciatrices, pourquoi n'avouerions-nous pas que, les rares moments où nous sommes épargnés par les vicissitudes de l'histoire, par l'arrogance des nantis et par la violence importée, nous nous débrouillons très bien pour trouver tout seuls de quoi nourrir notre vice secret ?

Lorsque les raisons véritables manquent, on ne saurait parler de réel problème. Qu'à cela ne tienne !

Notre puissance créatrice est telle que nous les inventons, sur une base qui nous est également chère : la sacro-sainte Vétille.

Telles sont les philosophiques pensées qui effleurent Zonzon à chaque fois qu'il gare son taxi collectif à la Croix-Mission.

Se remémorant une anecdote déjà lointaine, Zonzon ne peut s'empêcher de lever le nez vers le deuxième étage d'une étroite maison de bois qui, flanquée de ses balcons torsadés, surplombe la place, comme s'il allait y apercevoir la silhouette dodue de sa tante Rachel, partie depuis plusieurs années vivre son veuvage, avec sa fille unique, Jenny, loin des mal-parlants qui attendaient patiemment le faux pas toujours possible, malgré le chagrin, pour une femme plaisante à la soixantaine encore accorte.

Rachel était possédée par une passion fort difficile à assouvir, sous nos cieux, à cette époque : elle aimait l'opérette et, plus particulièrement, le grand Offenbach.

Ce goût, peu partagé dans nos îles à rythmes musclés et à cadences revigorantes, était né le jour où, dans sa prime jeunesse, sa grand-mère l'avait emmenée au Ciné-Théâtre municipal pour la récompenser d'un tableau d'honneur méritant, afin d'y admirer l'une des prestations de la troupe Giraudy qui, bien qu'elle n'eût jamais obtenu la consécration dans l'Hexagone, connaissait un vif succès lors de ses tournées annuelles dans les ex-colonies de la Grande France.

Au moment précis où le *Colombie* déposait ses ténors et ses soprani au port du Mouillage, à Fort-de-France, Zonzon passait ses vacances de Pâques à la ville, chez sa tante Rachel qui y tenait un commerce, pour tenir compagnie à sa jeune cousine, la ravissante Jennifer, qui avait tendance à le mépriser quelque peu, du haut de ses douze ans, en raison de ses évidentes origines campagnardes.

Malgré les venimeuses et insinuantes objurgations de l'oncle Ferdinand, époux de Rachel et comptable à la retraite, la tante de Zonzon décida d'emmener les deux enfants au spectacle.

Ferdinand, récemment immobilisé par une attaque, passait le plus clair de son temps à son balcon ou dans son lit et cachait mal une angoisse native, aggravée par la maladie, fort proche d'un banal syndrome d'abandon.

De nombreuses années auparavant, l'enfant Rachel, émerveillée par le spectacle chatoyant que sa grand-mère lui offrait en cadeau, ressentit un double choc : visuel (devant la beauté des costumes qui n'avaient pas boudé le lamé or) et sonore (à l'audition des mélodies onctueuses et rafraîchissantes, si éloignées des cahoteuses syncopes tropicales).

La troupe venue de France avait, ce soir-là justement, joué l'opérette préférée de Rachel : *La Belle Hélène !*

La soirée fut un réel enchantement. L'imposant lustre du théâtre tapissé de rouge étincela de tous ses feux.

Pour regagner la Croix-Mission, à l'orée du quartier animé de jour et silencieux de nuit qui est le fief des commerçants syro-libanais, au pittoresque parler créole, les heureux spectateurs empruntèrent la voie royale de la Levée, goûtant la fraîcheur des flamboyants aux feuilles bruissantes sous l'alizé du soir, jusqu'aux hauts murs de la caserne Gallieni qui ont toujours, Dieu merci, réussi à protéger des cyclones les plus anciens arbres de Fort-de-France.

Le court voyage pédestre entre le théâtre et la maison fut parcouru en quelques minutes et aussi gai que possible.

En approchant de la maison, Rachel et les deux enfants ne pouvaient s'empêcher de fredonner, charmés :

> Le Roi qui qui s'avance
> Qui qui s'avance (*bis*)
> C'est Aga Aga Aga
> C'est Agamemnon...

Au moment d'ouvrir la porte, le ravissement de Rachel se tarit aussi subitement que la fontaine Gueydon en temps de carême, car elle s'aperçut qu'elle avait oublié son trousseau de clefs à l'intérieur.

Elle soupira de soulagement en voyant que la lumière du deuxième étage, celle de la chambre de son mari, était encore allumée. Cela signifiait, grâce à Dieu, qu'il lisait au lit, en attendant sa femme, ce qui lui était coutumier.

Élevant le ton – de façon modérée, cependant, afin de ne pas éveiller les voisins qui, à l'heure tardive de dix heures et demie, devaient tous dormir du sommeil du juste, au creux de leurs lits – Tante Rachel se mit à héler :

– Féfé ! Féfé ! Nou la ! Envoie-nous la clef par la fenêtre, chéri, je t'en prie... J'ai oublié la mienne !... Féfé ?

Ferdinand entendit-il ou fit-il le sourd ? Les trois personnes plantées sur le trottoir, quelques mètres plus bas, crurent l'entendre se gratter la gorge distinctement, tic habituel chez ce fumeur impénitent et origine d'un grand nombre de disputes conjugales.

Rachel, se sentant abandonnée par la patience – qui n'avait jamais été son fort –, fit monter d'un bon degré la tonalité de sa voix :

– Féfé ! Ne fais pas l'enfant, mon cher ! C'est Rachel qui te parle ! Envoie-moi cette clef là-même !

Tendant l'oreille, elle attendit quelques longues minutes. Rien. Pas un son.

Le silence... l'épais silence de la nuit foyalaise, dans le ciel sans étoiles.

Jenny se mit à sautiller d'une jambe sur l'autre : elle avait envie de faire pipi.

Encouragé, le petit Zonzon commença à pleurnicher : il avait soif.

Les deux taloches qu'elle distribua ne suffirent pas à calmer les nerfs surmenés de Rachel.

Hurlante, oubliant simultanément son bon français et son sang-froid, elle déversa sur son époux, protégé par l'élévation de son refuge, des tombereaux d'injures locales qui supportent mal le passage, en vue de traduction, de la langue vernaculaire au parler officiel.

Elle se permit de mettre en doute avec une virulence non dénuée de vulgarité la vertu de feu sa belle-mère ; elle insinua perfidement que l'infirmité de Ferdinand n'était pas strictement circonscrite aux jambes ; elle se félicita ouvertement d'avoir, à de multiples reprises, au cours de leur vie commune, orné le front de son époux d'appendices osseux et pointus.

Toutes les fenêtres du voisinage s'allumèrent, à l'instar de celle du toujours silencieux mari.

En chemise de nuit et papillotes, les commères du quartier, ravies de ce spectacle inopiné, s'accoudèrent confortablement pour ne pas manquer un mot de l'algarade pimentée à souhait et pour assister à une conclusion qui promettait d'être encore plus relevée.

Le fils d'Adeline, voisine et amie de Rachel, un petit feignant de seize ans aussi amateur de cancans qu'une couventine, s'offrit spontanément à aller chercher Monsieur Massard, non seulement voisin, lui aussi, mais encore chef des pompiers, auquel – selon les dires de certaines mauvaises langues – il ressemblait particulièrement.

Minuit avait déjà sonné à l'horloge de la cathédrale lorsque arriva la rutilante voiture des hommes du feu. L'assistance éblouie vit la grande échelle se déplier et se placer contre le mur de la maison assiégée car, en traversant une partie de la ville, l'avertisseur sonore avait drainé une foule considérable d'insomniaques badauds guetteurs de sinistres.

Le gyrophare tournoyant amplifiait, par sa mouvante luminosité, le dramatique de la scène.

Un jeune pompier sportif au casque étincelant s'élança sur la première marche, dans l'évidente intention de gravir quatre à quatre les échelons et de se faire, par la même occasion, admirer des belles.

Il n'eut pas le temps d'accomplir ce haut fait : projeté d'en haut, un petit objet métallique tinta en rebondissant sur son couvre-chef nickelé. Un sourd murmure s'éleva de toutes les poitrines : la clef !

La véhémente Rachel se précipita sur l'objet du litige qu'elle enfouit aussitôt dans les profondeurs de son corsage.

Tous les yeux s'élevèrent alors vers la fenêtre scandaleuse et les bouches s'arrondirent sous l'effet de l'ébahissement. Ferdinand, vêtu d'un élégant pyjama de soie grège à liseré rouge, tenant délicatement à la main une longue cigarette américaine à bout filtre, nonchalamment accoudé au balcon du second étage, parla d'une voix calme et amène, qui résonna dans un silence de mort :

– Eh bien, Rachel, ma chère, tu rentres bien tard ! Monsieur Offenbach ne voulait plus te laisser partir ? On dirait bien que tu as encore oublié ta clef ! Quelle tête de linotte tu fais ! J'ai dû m'assoupir quelques minutes mais vraiment, tu aurais pu m'appeler !

Ce fut la dernière finasserie de Monsieur Ferdinand qui décéda trois mois après la mémorable soirée de *La Belle Hélène*, juste après avoir ingéré le bouillon de poule que Rachel lui avait préparé et apporté à onze heures précises.

Le finale

La nuit s'avance et le bal-bouquet est sur le point de se terminer, à la lueur vacillante des torches de serbi. La dernière figure rapproche puis désunit pour l'ultime quadrille les couples de danseurs aux yeux embués, aux gestes alanguis. Encore galvanisés par la voix assourdie de l'aboyeur, en dépit de leur lassitude évidente, les messieurs saluent courtoisement et les dames esquissent une révérence. Les doigts engourdis du maître-tambourinaire ne font plus qu'effleurer la peau sonore et le ti-bois glisse furtivement sur le tronc de bambou tandis que, peu à peu, dans l'ombre grandissante, le rythme s'altère et la rumeur décroît.

Parodiant le texte du sautillant vidé arbitrairement intitulé *Rose-Aimée*, chanson qui, sur un mode badin soutenu à la fois par une rythmique impeccable et par une rime percutante bien que simpliste, prône ou dénigre les charmes comparés des femmes des différents bourgs de l'île, Zonzon, poète local saisi par l'ambiance légère de la capitale, fredonne, sur l'air connu, l'adaptation qu'il a dédiée aux différents quartiers de celle-ci :

Si à Didier
On est huppé
À Balata
On joue du ka
À l'Ermitage
On a la rage
Au Carénage
On est en nage
À Texaco
On manque d'eau
Sur la Levée

Les gens sont gais
Au pont de Chaînes
On se déchaîne
À la Folie
Tout le monde rit
À Terre-Sainville
On se défile
Ceux de Trénelle
Battent de l'aile
Ceux de Citron
Jouent du bâton...

La place de la Croix-Mission, au soir tombé, perd les multiples occasions d'animation que lui procurent la proximité du canal Levassor (qu'on peut préférer appeler, plus élégamment, la rivière Madame), l'odorant marché aux poissons et ses harengères, le cimetière dit « des riches » et ses visiteuses endeuillées, le sourd roulement des jeeps militaires de la toute proche caserne Gallieni et les excessifs coups de frein des taxis-pays multicolores qui l'ont adoptée en tant que gare routière.

Là où, il y a à peine quelques heures, bruissait et étincelait la vie, il ne reste plus qu'un grand espace quasi désert, plutôt dépenaillé, plutôt biscornu, aux désuètes allures coloniales, avec ses papiers gras qui volettent au vent du soir.

Tout s'immobilise dans l'attente des viriles balayeuses municipales de cinq heures du matin – ample pantalon à poches enfoncé dans d'épaisses bottes en caoutchouc et bakoua vissé sur la tête – et des chiens-fers faméliques, peu enclins à poursuivre les rats dodus qui se nourrissent des reliefs alimentaires abandonnés çà et là par les revendeuses.

D'entre les persiennes d'une étroite maison de bois au balcon finement ajouré s'exhale la voix créole et acidulée de Léona Gabriel, transmise par un poste de radio au son vacillant d'intermittence :

> J'avais un amant soldat
> Qui me rouait de coups de godillots
> J'ai pris un aviateur
> Qui me volait
> J'ai choisi un journaliste
> Qui passait son temps à m'interroger
> Puis j'ai séduit un douanier
> Qui fouillait dans mes affaires
> Alors, c'est décidé, cette année
> Ce sera un musicien...

Dès que le fulgurant crépuscule antillais a laissé assombrir par l'indigo les violets et les roses fuchsia du ciel en mutation, l'obscurité s'impose avec une brutalité incroyable.

Les sons nocturnes et urbains, si différents des tonalités frémissantes et saccadées des bois, des savanes et des halliers envahis par les myriades d'insectes de la nuit bruissante, font l'escalade des hauts murs lézardés.

En même temps, des volutes de vapeur tiède s'exhalent de l'asphalte brusquement rafraîchi :

l'alizé virevoltant annonce l'arrivée de la pluie drue et rarement verticale.

Lorsque celle-ci s'arrête net, comme coupée au couteau, on pourrait croire, voyant la lune blanche jaillir hors du nuage sombre, qu'un facétieux démiurge tropical lui a intimé l'ordre coutumier à tous les usagers des taxis-pays caribéens : « À l'arrêt ! »

Partitions des chansons citées dans le texte

I
moin ni an loto nèf"
man ni an loto — nèf
an ti famm ki an — gou mwin
man ni an loto — nèf —
man ka fè palé — di mwin —
A titin' ou bel"
A ti tin' ou bel — an ma ni man
la belle est jo — lie an ma ni man
la belle est jo — lie an ma ni man
la belle est jo — lie an ma ni man —
"lè pitit an mwin"
lè pitit an mwin ka mandé mwin tè tè
man ka pôté li manjé ma tè tè
lè pi tit an mwin ka mandé mwin tè — tè
man ka pôté li manjé ma tè — tè —

II
papa mwin mété mwin a lé kol
I mété ti frè_mwin épi mwin-
ti frè mwin I a_prann pase mwin
papa mwin ba mwin an ti Kanno....
Soup la adan Kanari hay
Kanari asou di fé han-
I kabri lé hou
Bon kli'a ti_tin tanoté_
Ba mwin kli'a ti_tin o
Ba mwin kli'a ti_tin tanoté hou mité
la pli ka ton-bé so_ley ka sho fi_na-yôt kay jo
jo ki fè sho ki fè frèt la pli ka ton-bé_so_ley ka sho
fi-na_yôt kay jo_jo maren li ka sha she_i_

III
man té ni an ti sòlda sé go di yo té ka ba mwen mwen té
ni an a via tè misié'a té ka vo lé mwen
si an jou ou desand Sinla-zà Ay Ay Ay lè kolon bi sòti o pé
yi yay yay yay hi an ba gay ou ka toujou taud an ba gay ou pé pa kou
praud
papa mwen mô man pa plé-ré manman mwen mô man pa plé
ré ti frè mwen mô man pa plé-ré mé pou ti moudil man kay plé-ré
An swé kò la jandam-ri A vio-
-lon é an gi-tar té ka jwé an mé lo di
An jandam barbar di "mes sieurs" il est trop tard.

IV
Fanm tonbé pa janmin dé — sès pè’ ré fanm tonbé pa janmin dé
sès pè’ ré fanm tonbé pa janmin dé sès pè’ ré
Si an jou Ro — ro mouyé lan mèri kay dé fonsé —
Marie-Clémence mo di — tout bagay-ou mo di
Kanari-ou mo di ma kadan-ou mo di —
Pi-tong pitong sa sa yé — kra po a bi si klet karoulé alô —
An jou — man de mand — la kar — kad
— pou bin — yin

CET OUVRAGE A ÉTÉ REPRODUIT
ET ACHEVÉ D'IMPRIMER SUR ROTO-PAGE
PAR L'IMPRIMERIE FLOCH À MAYENNE
EN JUIN 1994

Éditions du Rocher
28, rue Comte-Félix-Gastaldi
Monaco

Dépôt légal : juin 1994.
N° d'Édition : CNE section commerce et industrie
Monaco : 19023.
N° d'impression : 36122.

Imprimé en France